जननायक
अन्ना हजारे

प्रदीप ठाकुर
पूजा राणा

 प्रभात प्रकाशन, दिल्ली
ISO 9001:2008 प्रकाशक

VZ1220 367X

प्रकाशक	•	**प्रभात प्रकाशन**
		4/19 आसफ अली रोड,
		नई दिल्ली–110002
सर्वाधिकार	•	सुरक्षित
संस्करण	•	प्रथम, 2012
मूल्य	•	दो सौ रुपए
मुद्रक	•	भानु प्रिंटर्स, दिल्ली

JANNAYAK ANNA HAZARE *by* Pardeep Thakur / Pooja Rana
Published by Prabhat Prakashan, 4/19 Asaf Ali Road, New Delhi-2
ISBN 978-93-5048-098-4   Rs. 200.00

भूमिका

वे अपने आपको एक 'फकीर' मानते हैं—एक ऐसा इनसान, जिसका न कोई परिवार है, न कोई संपत्ति है और न कोई बैंक खाता। वे पुणे से करीब 110 कि.मी. दूर, अहमदनगर के रालेगण सिद्धि ग्राम में यादव बाबा मंदिर से जुड़े एक छोटे से कमरे में रहते हैं और केवल खादी पहनते हैं। लेकिन जब 72 वर्ष के वृद्ध किसन बाबूराव हजारे उर्फ 'अन्ना हजारे' कोई आंदोलन आरंभ करते हैं, तब मुंबई से दिल्ली तक हर नेता उठकर बैठ जाता है और उनकी हर बात पर ध्यान देता है। यहाँ तक कि उनको बदनाम करनेवाले लोग और वे राजनीतिज्ञ भी, जो उनके साहस से घृणा करते हैं, अनिच्छापूर्वक यह स्वीकार करते हैं कि वही एकमात्र इनसान है, जो देश भर में जनसाधारण को एकजुट करने और एक सरकार को हिलाने की ताकत रखता है। 1975 में, जब से उन्होंने आम जन-जीवन की सेवा का व्रत लिया, तब से आज तक उन्होंने अनगिनत आंदोलनों, भ्रमणों और भूख हड़तालों के कई प्रहारों को अपनी छोटी सी दुर्बल काया पर झेला है। सन् 2002 में उन्होंने अपनी माता लक्ष्मीबाई को खो दिया। उनकी दो विवाहित बहनें हैं, एक मुंबई में रहती है और दूसरी साँगम्णेर में। उनका यह 'हठी भाई जब-जब कोई अनिश्चितकालीन भूख-हड़ताल करने का व्रत लेता है', दोनों बहनें घोर चिंता में डूब जाती हैं।

अन्ना के मन में एक बार आत्महत्या करने का विचार आया और उस पर उन्होंने दो पृष्ठों का निबंध भी लिखा, यह स्पष्ट करते हुए कि वे किस कारण से अपना जीवन समाप्त करना चाहते हैं। किन्हीं परिस्थितियों के कारण अन्ना हजारे इस निष्कर्ष पर नहीं पहुँचे थे; बल्कि वे इसलिए जीना नहीं चाहते थे, क्योंकि वह जीवन से निराश हो गए थे और जानना चाहते थे कि मानव के

अस्तित्व का उद्देश्य क्या है ? किस्सा इस तरह है कि एक दिन नई दिल्ली रेलवे स्टेशन पर उनकी दृष्टि अकस्मात् एक पुस्तक पर पड़ी, जो स्वामी विवेकानंद के बारे में थी। विवेकानंद की तसवीर से प्रभावित होकर उन्होंने, जैसाकि बताया जाता है, यह कहा कि वह किताब उन्होंने पढ़ी और अपना उत्तर पा लिया—कि उनके जीवन की सार्थकता मानव जाति की सेवा करने में है।

आज अन्ना हजारे को उस व्यक्ति के रूप में जाना जाता है, जो भ्रष्टाचार के खिलाफ भारत के संघर्ष का नेतृत्व कर रहा है। वे इस संघर्ष को सत्ता के गलियारों तक ले गए हैं और उच्चतम स्तर पर सरकार को चुनौती दे डाली है। इस लड़ाई में उन्हें लोगों से, जनसाधारण से एवं जानी-मानी हस्तियों से एक समान समर्थन मिल रहा है और इन समर्थकों की संख्या दिनोंदिन सैकड़ों से हजारों में बढ़ती जा रही है।

अन्ना हजारे के लिए यह एक दूसरे प्रकार का संग्राम है, युद्ध है। ठीक वैसे ही जैसे कुछ युद्ध वे 15 वर्ष तक भारतीय सेना में एक सिपाही के रूप में रहकर लड़ भी चुके हैं। 1962 के भारत-चीन युद्ध के बाद वे उस समय सेना में भरती हो गए, जब सरकार ने युवाओं से सेना में शामिल होने का आह्वान किया। 1975 में उन्होंने 9वीं मराठा बटालियन से स्वैच्छिक अवकाश ग्रहण कर लिया और वापस अपने गाँव रालेगण सिद्धि आ गए। तब वे 39 वर्ष के थे। उन्होंने घर लौटकर देखा कि किसानों को जिंदा रहने के लिए संघर्ष करना पड़ रहा है। उनके कष्ट को देखकर उन्हें बरसात के पानी का संरक्षण करने का उपाय सूझा। इस दिशा में उनका प्रयास सफल रहा और उनका वह छोटा सा गाँव अंतरराष्ट्रीय नक्शे पर एक 'आदर्श गाँव' के रूप में उदित हुआ।

ग्रामवासी उनका बहुत आदर करते हैं। भ्रष्टाचार के विरुद्ध अन्ना हजारे का संघर्ष यहीं आरंभ हुआ। वे पहले उस भ्रष्टाचार के विरुद्ध लड़े, जो ग्रामीण भारत में विकास नहीं होने दे रहा था। उनका संगठन भ्रष्टाचार-विरोधी जन-आंदोलन कहलाता है और वे भूख हड़तालों के माध्यम से अपना विरोध प्रकट करते हैं, जो उनका अचूक अस्त्र है। और उनका मुख्य लक्ष्य है—भ्रष्टाचार।

उनका हथियार सशक्त है। सन् 1995-96 में उन्होंने महाराष्ट्र में शिवसेना-भाजपा सरकार को दो भ्रष्ट मंत्रियों को कुरसी से हटाने के लिए बाध्य कर दिया। सन् 2003 में उन्होंने कांग्रेस-राष्ट्रवादी कांग्रेस पार्टी (एन.सी.पी.) राज्य सरकार को चार मंत्रियों के विरुद्ध जाँच बिठाने के लिए विवश कर दिया। महाराष्ट्र के शरद पवार और बाल ठाकरे जैसे कद्दावर नेता अन्ना हजारे के आंदोलन करने के तरीके को प्रायः 'ब्लैकमेल' का नाम देते हैं।

लेकिन अन्ना हजारे हैं कि वे भ्रष्टाचार के विरुद्ध अपने संघर्ष को लगातार एक के बाद एक लड़ाई में बदलते चले जा रहे हैं। सूचना के अधिकार (आर.टी.आई.) को कार्यान्वित कराने के लिए उन्होंने आमने-सामने की लड़ाई लड़ी। अब वे जन लोकपाल बिल अर्थात् विधेयक के कार्यान्वयन के लिए लड़ाई लड़ रहे हैं। इस बिल का प्रारूप सिविल सोसाइटी के प्रमुख सदस्यों द्वारा तैयार किया गया है, जो यह माँग करता है कि मंत्रियों और नौकरशाहों अर्थात् अधिकारी वर्ग समेत हर किसी के विरुद्ध भ्रष्टाचार के मामलों में तेजी से काररवाई की जानी चाहिए।

अन्ना हजारे द्वारा अपना धर्मयुद्ध चलाए जाने के 30 वर्ष के बाद भी वास्तव में कुछ नहीं बदला है, बदला है तो सिर्फ उनके संघर्ष का स्तर। यही कारण है कि 72 वर्षीय अन्ना को राष्ट्रीय स्तर पर व्याप्त व्यापक भ्रष्टाचार के विरुद्ध दिल्ली में भूख हड़ताल पर बैठना पड़ा।

मैंने इस पुस्तक—'अन्ना हजारे : भ्रष्टाचार के विरुद्ध भारत के संघर्ष का नाम, का संकलन और संपादन प्रासंगिक उद्धरणों में प्रस्तुत भिन्न-भिन्न सूचना-स्रोतों से किया है। मैं उन सभी के प्रति धन्यवाद प्रकट करता हूँ। मुझे आशा है कि यह पुस्तक एक ऐसी खिड़की का काम करेगी, जिसके जरिए लोग भारतीय जीवन के सभी क्षेत्रों में व्याप्त भ्रष्टाचार की चुनौतियों में झाँक सकेंगे और अन्ना हजारे के नेतृत्व में चलाए जा रहे 'सिविल सोसाइटी' के संघर्ष को समझ सकेंगे।

—प्रदीप ठाकुर
—पूजा राणा

विषय सूची

1

अन्ना हजारे : एक संघर्षमय जीवन

प्रारंभिक जीवन

'अन्ना हजारे' के नाम से परिचित किसन बापट बाबूराव हजारे का जन्म 15 जनवरी, 1940 को महाराष्ट्र के अहमदनगर जिले के एक छोटे से गाँव भिंगर में हुआ था। एक किंवदंती के अनुसार, भ्रिंगु ऋषि ने यहाँ एक पहाड़ी पर तपस्या की थी, जहाँ उनके सम्मान में आज भी एक मंदिर बना हुआ है। 'भिंगर' शब्द की उत्पत्ति मनीषी से हुई है। अन्ना के पिता बाबूराव हजारे आयुर्वेद आश्रम औषधालय में एक अकुशल श्रमिक के रूप में काम करते थे। अन्ना के दादा सेना में थे और उस समय वह भिंगर में तैनात थे, जब अन्ना का जन्म हुआ। 1945 में उनका देहांत हो गया, लेकिन अन्ना के पिता भिंगर में ही रहते रहे।

सन् 1952 में अन्ना के पिता ने अपनी नौकरी से इस्तीफा दे दिया और वे अपने गाँव रालेगण सिद्धि लौट आए। उस समय अन्ना ने चौथी कक्षा तक की पढ़ाई पूरी की थी और उनके छह भाई-बहन थे। अन्ना के पिता बड़ी कठिनाई से परिवार का भरण-पोषण कर पाते थे। अन्ना की बुआ (पिता की बहन) अन्ना को अपने साथ मुंबई ले गईं। उनकी अपनी कोई संतान नहीं थी और उन्होंने अन्ना की देखभाल करने तथा उनकी पढ़ाई-लिखाई की जिम्मेदारी अपने ऊपर ले ली।

अन्ना 7वीं कक्षा तक मुंबई में पढ़े। उन्होंने घर में आर्थिक तंगी को देखते हुए 7वीं कक्षा के बाद एक नौकरी ग्रहण कर ली। रालेगण गाँव में अन्ना के पिता एक दिहाड़ी मजदूर की तरह काम करते थे और अपने परिवार का भरण-पोषण करना उनके लिए मुश्किल हो रहा था। वे धीरे-धीरे कर्ज के बोझ तले दबे जा रहे थे। उन्हें अपनी भूमि का एक हिस्सा बेच देना पड़ा और दूसरा हिस्सा

उन्होंने गिरवी रख दिया। अन्ना ने अपने जीवन-निर्वाह के लिए दादर में फूल बेचना शुरू कर दिया। लेकिन अन्ना का किसी की दुकान पर 40 रुपए प्रतिमाह पर काम करना काफी नहीं था। कुछ अनुभव प्राप्त करने के बाद उन्होंने अपनी दुकान शुरू कर दी और वे अपने दो भाइयों को भी मुंबई ले आए। धीरे-धीरे अन्ना की आमदनी 700 रुपए से 800 रुपए प्रतिमाह तक बढ़ गई।

भारतीय सेना में

अन्ना हजारे ने भारतीय सेना में एक वाहन चालक के रूप में अपनी सेवा आरंभ की। उन्होंने अपना खाली समय स्वामी विवेकानंद, महात्मा गांधी और आचार्य विनोबा भावे की किताबें पढ़ने में बिताया। सन् 1965 में पाकिस्तान ने भारत पर आक्रमण किया, उस समय अन्ना हजारे खेमकरण सीमा पर तैनात थे। 12 नवंबर, 1965 को पाकिस्तान ने भारतीय अड्डे पर हवाई हमला कर दिया और उस हमले में हजारे के सभी साथी शहीद हो गए। अन्ना हजारे बाल-बाल बचे, क्योंकि एक गोली उनका सिर छूते हुए निकल गई थी।

उनकी आधिकारिक जीवनी के अनुसार, हजारे का मानना है कि वह उनके जीवन में परिवर्तन लानेवाला एक मोड़ था, क्योंकि इससे उन्हें जीवन का एक उद्देश्य मिला। स्वामी विवेकानंद के उपदेशों का उनपर गहरा प्रभाव पड़ा। यही वह विशेष क्षण था, जब 26 वर्षीय हजारे ने अपना जीवन मानव जाति की सेवा में समर्पित करने का व्रत लिया। उन्होंने तय किया कि वे इस जीवन को सिर्फ रोजी-रोटी कमाने के चक्कर में व्यर्थ नहीं जाने देंगे। यही कारण है कि अन्ना ने अविवाहित रहने का निर्णय किया। तब तक सेना में उन्होंने केवल 3 वर्ष पूरे किए थे और इसी कारण वे पेंशन पाने के हकदार नहीं थे। अतः, आत्मनिर्भर होने के उद्देश्य से, वे और 12 वर्ष तक सेना की नौकरी में बने रहे।

रालेगण सिद्धि में

सेना से स्वैच्छिक सेवानिवृत्ति लेने के बाद हजारे सन् 1975 में रालेगण सिद्धि गाँव में लौट आए।

जब वे सेना में थे, वह हर वर्ष अपने अवकाश के दौरान दो माह के लिए अपने गाँव आया करते थे। उस समय गाँव की हालत बड़ी दयनीय और भयंकर थी। जमीन बंजर और लहरदार थी। चूँकि यह गाँव लेशमात्र बरसातवाले क्षेत्र में स्थित है, साल भर में वहाँ औसतन 400-500 मि.मी. बरसात होती है। बरसात

का सारा पानी इधर-उधर बहकर व्यर्थ चला जाता। इस बहुमूल्य संसाधन को बाँधकर रखने का कोई उपाय नहीं था। जितना भी वर्षा जल इकट्ठा हो पाता था, उससे रालेगण गाँव में उपलब्ध कुल 2,200 एकड़ भूमि में से केवल 300-350 एकड़ भूमि में ही खेती हो सकती थी। 80 प्रतिशत परिवार केवल एक समय भरपेट भोजन कर गुजारा कर रहे थे।

खाद्य उत्पादन अपर्याप्त था और गाँव में रोजगार के कोई अवसर उपलब्ध नहीं थे। इस कारण कुछ ग्रामवासियों ने अपनी जीविका अर्जित करने के लिए शराब बनाना शुरू कर दिया। धीरे-धीरे मद्य-निर्माणशालाओं की संख्या बढ़कर 35 हो गई। वे जानते थे कि जो काम वे कर रहे हैं, वह सामाजिक और नैतिक दृष्टि से गलत है; लेकिन परिस्थितियों ने उन्हें अपनी जीविका के लिए इस धंधे में पड़ने के लिए बाध्य कर दिया था। कुछ ग्रामीणों को आस-पास के गाँवों में रोजगार की तलाश के लिए रोजाना 5-6 कि.मी. पैदल जाना पड़ता था।

निर्धनता और ऋणग्रस्तता के कारण लोग नैराश्य में डूबने लगे थे और अंतत: शराब का सहारा लेने लग गए थे। कहा-सुनी, झगड़ा और मारा-मारी रोजमर्रा की बात हो गई थी। इस दयनीय स्थिति के कारण हजारे ने गाँव के बीच जाना लगभग बंद कर दिया। वे हमेशा असहाय महसूस करते, क्योंकि गाँव में जो हालात थे उन्हें बदलने के लिए वे कुछ कर नहीं सकते थे।

आरंभ में उन्होंने गाँव के युवाओं को इकट्ठा करके 'तरुण मंडल' नामक एक संगठन बनाया। उन्होंने पानी का उचित वितरण सुनिश्चित करने के लिए 'पानी पुरावत मंडलों' (वाटर सप्लाई एसोसिएशन) का गठन करने में भी सहायता की।

मद्यपान का उन्मूलन

आर्थिक और सामाजिक परिवर्तन के अगले चरण के रूप में अन्ना हजारे और युवक-समूह ने शराबखोरी का मुद्दा उठाने का निर्णय किया। यह बात स्पष्ट थी कि गाँव में तब तक कोई प्रगति और खुशहाली नहीं आ सकती थी, जब तक कि उनके जीवन से शराब की लत के भूत को पूरी तरह मिटा नहीं दिया जाता। मंदिर के प्रांगण में आयोजित एक सभा में ग्रामवासियों ने शराब के अड्डों को बंद करने और गाँव में शराब पीने पर रोक लगाने का संकल्प उठाया। चूँकि ये संकल्प मंदिर में उठाए गए थे, इसलिए इन्हें एक तरह से धार्मिक वचनबद्धता की मान्यता मिल गई। शराब बनाने के 30 से अधिक अड्डा मालिकों ने स्वेच्छा

से अपने अड्डे बंद कर दिए। जो लोग नहीं माने, उन्हें सामाजिक दबाव के आगे उस समय झुकना पड़ा जब युवक-समूह ने उनके शराब के अड्डों को तोड़-फोड़ डाला। उन अड्डों के मालिक शिकायत भी नहीं कर सकते थे, क्योंकि उनका धंधा गैर-कानूनी था।

हालाँकि शराब बनाने के अड्डे बंद करने से रालेगण सिद्धि गाँव में शराब पीना कुछ कम हो गया, लेकिन कुछ ग्रामीणों ने शराब पीना नहीं छोड़ा। वे आस-पास के गाँवों से शराब ले आते थे। गाँववालों ने तय किया कि जिन लोगों को तीन बार चेतावनी दे दी गई है, उन्हें उसके बाद शारीरिक दंड दिया जाएगा। शुरू की चेतावनियों के बाद नशे की हालत में पाए गए 12 लोगों को युवक-समूह की मदद से एक खंभे से बाँध दिया गया और कोड़े लगाए गए।

अन्ना हजारे ने महाराष्ट्र सरकार से एक ऐसा कानून लाने की अपील की जिसमें यह व्यवस्था हो कि अगर गाँव में 25 प्रतिशत औरतें शराबबंदी की माँग करती हैं तो वहाँ नशाबंदी लागू कर दी जाए। अन्ना कहते हैं, "क्या एक माँ अपने किसी बीमार बच्चे को कड़वी दवा नहीं देती है, जब उसे पता होता है कि वह दवा उसके बच्चे को ठीक कर सकती है? बच्चे को भले ही दवा अच्छी न लगे, लेकिन माँ फिर भी वह दवा बच्चे को देती है, सिर्फ इसलिए क्योंकि उसे बच्चे की चिंता रहती है। शराबखोरों को दंड दिया गया, ताकि उनके परिवार तबाह न हों।"

जुलाई 2009 में राज्य सरकार ने 'बंबई मद्य निषेध अधिनियम, 1949' में संशोधन के लिए एक सरकारी प्रस्ताव जारी किया। संशोधनों के अनुसार, अगर कम-से-कम 25 प्रतिशत महिला मतदाताओं द्वारा एक लिखित आवेदन नशाबंदी के लिए राज्य के आबकारी विभाग को दिया जाता है तो इस बारे में एक गुप्त मतपत्र के जरिए मतदान कराया जाना चाहिए। अगर 50 प्रतिशत मतदाता शराब की बिक्री के विरुद्ध मतदान करते हैं तो गाँव में मद्य निषेध लागू हो जाएगा और शराब की बिक्री पर रोक लग जाएगी। इसी प्रकार की काररवाई नगरपालिका क्षेत्रों में वार्ड स्तर पर भी की जा सकती है। उसके बाद एक और परिपत्र जारी किया गया, जिसके तहत शराब की बिक्री हेतु नए परमिट जारी करने के लिए ग्रामसभा की मंजूरी लेना अनिवार्य हो गया। कुछ उदाहरण ऐसे भी हैं कि जब महिलाओं ने शराब-बिक्री के विरुद्ध आंदोलन चलाया तो उनके खिलाफ मामले दर्ज कराए गए। अन्ना ने फिर इस मसले को उठाया और अगस्त 2009 में सरकार ने एक और परिपत्र जारी करके उन महिलाओं के खिलाफ दर्ज मामलों को वापस

लेने का बंदोबस्त किया, जो अपने गाँवों में नशाबंदी की माँग कर रही थीं।

गाँव से शराब हटाने के साथ-साथ तंबाकू, सिगरेट और बीड़ी की बिक्री पर भी रोक लगाने का फैसला किया गया। इस संकल्प को लागू करने के उद्देश्य से युवक मंडली ने 22 वर्ष पहले एक अनोखी 'होली' का आयोजन किया। होली का त्योहार बुराई को जलाकर नष्ट करने के प्रतीक-स्वरूप मनाया जाता है। युवक मंडली गाँव में दुकानों से सारा तंबाकू, सिगरेट और बीड़ियों के बंडल उठाकर ले आई और उन्हें 'होली' की ज्वाला में जलाकर नष्ट कर दिया। उस दिन से रालेगण सिद्धि गाँव में किसी भी दुकान पर कोई तंबाकू, सिगरेट या बीड़ी नहीं बेची जाती है। आज रालेगण सिद्धि गाँव में सिगरेट या बीड़ी बेचनेवाली एक भी दुकान नहीं है।

जल-विभाजक विकास कार्यक्रम

अन्ना ने सन् 1975 में अपना जीवन सामाजिक उद्देश्य के लिए समर्पित करने का प्रण लिया। उनका मानना था कि उदारता की शुरुआत घर से होती है। स्वामी विवेकानंद के शब्द उनके मन में गूँजते रहते—'लोग खाली पेट रहकर सैद्धांतिक विचारों को नहीं सुनेंगे। लोगों को अगर रोजाना दो वक्त की रोटी जुटाने की चिंता सताती रहेगी तो किसी भी तरह का सामाजिक परिवर्तन संभव नहीं होगा।' हजारे ने अपने दिमाग पर जोर डाला कि इस समस्या को कैसे हल किया जा सकता है? उन्होंने गाँव के निवासियों को नहरों, छोटे-छोटे रोक-बाँधों और आस-पास की पहाड़ियों में रिसन-तालाबों का निर्माण करने हेतु 'श्रमदान' (स्वैच्छिक श्रम) करने के लिए प्रोत्साहित किया। ऐसे प्रयासों से, जिनके कारण गाँव में पानी की कमी थी, वह समस्या हल हुई और सिंचाई करना संभव हो सका। स्वैच्छिक कार्यकर्ताओं की मदद से बनाए गए पहले तटबंध में दरार आ गई और इस बार उसका पुनर्निर्माण सरकारी सहायता से करना पड़ा।

शासकीय वेबसाइट के अनुसार उन्हें याद आया कि स्वर्गीय श्री विलासराव सालुंखे ने सन् 1972 में पुणे जिले में सास्वाड के निकट कुछ गाँवों में जल-विभाजक विकास तथा जल-प्रबंधन में प्रयोग करने शुरू किए थे। उनके काम के बारे में हर जगह अनौपचारिक सभाओं में अकसर चर्चा हुआ करती थी। फिर वे तत्कालीन कृषि निदेशक के कार्यालय में गए और उन्हें बताया कि वे अपने साथी ग्रामवासियों की बेहतरी के लिए कुछ करना चाहते हैं। उन्होंने अपने मार्गदर्शन के अंतर्गत अपने गाँव में जल-संरक्षण के लिए कार्य करने की इच्छा

व्यक्त की। कुछ दिनों के बाद कृषि निदेशक अपने मातहतों के साथ रालेगण सिद्धि में तशरीफ लाए और उन्होंने एक भौगोलिक सर्वेक्षण किया। वे मान गए कि गाँव का भौगोलिक स्वरूप हर तरफ से 'वाटरशेड (जल-विभाजक) विकास कार्यक्रम' आरंभ करने के लिए उपयुक्त है। अत: उन्होंने इस कार्यक्रम को कार्यान्वित करने का निर्णय कर लिया। अब तक वहाँ 48 नाला पुश्तों, 5 सीमेंट रोक-बाँधों और 16 बेलनाकार ढाँचों का निर्माण हो चुका है।

हजारे ने दूसरी बड़ी समस्या—मिट्टी के कटाव—को रोकने के लिए भी कदम उठाए। मिट्टी और जल-संरक्षण के लिए बहाव को रोकना जरूरी था, जिसके लिए पहाड़ी ढलानों के साथ-साथ समान ऊँचाई को खाइयों और नालियों का निर्माण किया गया। पहाड़ी रास्ते के साथ-साथ गाँव में भी घास, झाड़ियों एवं करीब 3 लाख पौधों का रोपण किया गया। हजारे के नेतृत्व में ग्रामवासियों ने 500 एकड़ भूमि पर चारा विकास, सतत समान ऊँचाई की खाइयों और गोल पत्थरों की छिदरी दीवारों का निर्माण-कार्य भी अपने हाथ में ले लिया।

जल-विभाजक विकास कार्य से गाँव में ही वर्षाजल की एक-एक बूँद बचाना और भूमिगत जलाशयों को पुन: भरना संभव हो सका। इससे अंतत: जल-स्तर ऊँचा हो गया। जिस गाँव में कभी 300-300 एकड़ भूमि पर एक से अधिक फसल जोतना संभव नहीं था, अब वहीं 1,500 एकड़ भूमि पर दो-दो फसलों की कटाई होने लगी है। जल की उपलब्धता के कारण कृषि-उत्पादन काफी बढ़ गया है। कृषि के विकास से गाँव में ही रोजगार को काफी बढ़ावा मिला है। मेहनत-मजदूरी के लिए गाँव के लोगों का दूसरी जगह जाना न केवल पूरी तरह रुक गया है, बल्कि अब विभिन्न अंत: कृषि कार्यों को समय पर पूरा करने के लिए दूसरे गाँवों से भी श्रमिकों को भाड़े पर लेना पड़ता है।

रालेगण ने ड्रिप और बाइ-वॉल्व सिंचाई का भी व्यापक प्रयोग किया है। पूरी तरह ड्रिप सिंचाई प्रणाली से सिंचित 80 एकड़ (3,20,000 वर्गमीटर) भूखंड पर पपीता, नींबू और मिर्च के पौधे लगाए गए हैं। पानी की बहुत अधिक खपत वाली फसलों पर रोक लगा दी गई है, जैसे कि गन्ने की खेती। दालें, तिलहनों जैसी फसलें और कुछ नकदी फसलें उगाई गईं, जिनके लिए पानी की कम जरूरत पड़ती है। किसानों ने उच्च उपज देनेवाली फसलें उगाना शुरू कर दिया और गाँव की फसल-प्रणाली भी बदल गई। उन्होंने 1975 से अब तक महाराष्ट्र राज्य के सूखा-ग्रस्त क्षेत्रों में 70 से अधिक गाँवों में किसानों की मदद की है।

रालेगण सिद्धि में 'वाटरशेड विकास कार्यक्रम' की सफलता के बाद हजारे

ने यह कार्यक्रम पड़ोस के 4 गाँवों में भी दोहराया। इसके परिणाम काफी उत्साहवर्धक रहे। अब यही परियोजना महाराष्ट्र के 80-85 गाँवों में चलाई जा रही है। भारत सरकार हजारे के इस 'वाटरशेड विकास कार्यक्रम' को समझने और देश में अन्य गाँवों में इसे कार्यान्वित करने के उद्देश्य से यहाँ एक प्रशिक्षण केंद्र आरंभ करने की योजना बना रही है। 30 जुलाई, 2010 को केंद्रीय मंत्री सी.पी. जोशी ने अपने विभाग के सचिवों तथा अन्य पदाधिकारियों के साथ रालेगण सिद्धि का दौरा किया और यह जानने-समझने की कोशिश की कि हजारे ने मजबूत ग्रामीण नेतृत्व का निर्माण करके अपनी ही शैली में किस तरह के जल-विभाजक विकास, संरक्षण और लोक-शक्ति की संकल्पना को साकार किया है। उन्होंने कहा, ''अन्ना के ज्ञान और अनुभव से अन्य गाँवों को भी सीख लेनी चाहिए। अनेक वर्षों की ग्रामीण योजना के बावजूद बहुत से गाँव आज भी सरकारी योजनाओं के बाहर हैं। रालेगण सिद्धि की सफलता दूसरों के लिए भी चमत्कारिक सिद्ध हो सकती है।'' राज्य कृषि मंत्री बाला साहेब थोरट भी इस अवसर पर मौजूद थे और उनका कहना था, ''हजारे के नेतृत्व में किया गया जल-संरक्षण का काम देश के लिए एक आदर्श है।''

दुग्ध-उत्पादन

रालेगण सिद्धि में दुग्ध-उत्पादन को एक द्वितीय व्यवसाय के रूप में प्रोत्साहित किया गया। नए मवेशियों की खरीद, कृत्रिम गर्भाधान द्वारा मौजूदा नस्ल में सुधार और पशु-चिकित्सक से समय पर मिले मार्गदर्शन एवं सहायता से पशुधन में काफी सुधार हुआ है। परिणामस्वरूप दुग्ध-उत्पादन भी बढ़ गया है।

इसके पहले गाँव से केवल 300 लीटर दूध बिकता था। अब दुग्ध-उत्पादन 4,000 लीटर तक पहुँच गया है। दूध की खरीद सहकारी और निजी डेरियों द्वारा की जाती है। इससे गाँव को सालाना 1.3 से 1.5 करोड़ रुपए की आय होती है। कृषि के साथ डेयरी व्यवसाय एक द्वितीयक व्यवसाय के रूप में खूब फूला-फला है और इसके कारण गाँव के बेरोजगार युवकों को आमदनी का एक नया जरिया मिल गया है।

कुछ दूध जिला परिषद् द्वारा प्रायोजित 'बाल-पोषण कार्यक्रम' के अंतर्गत बालवाड़ी बच्चों और पड़ोस के गाँवों को भी दिया जाता है। अतिरिक्त आय से दुग्ध सोसाइटी ने एक मिनी ट्रक और एक थ्रेशर खरीदा है। अहमदनगर तक दूध पहुँचाने के अलावा मिनी ट्रक का इस्तेमाल सब्जियों तथा अन्य वस्तुओं को सीधे

ही मंडी तक ले जाने के लिए भी किया जाता है। इस प्रकार बिचौलियों से भी निजात मिल गई है। कटाई के मौसम के दौरान थ्रेशर किसानों को किराए पर दिया जाता है।

शिक्षा

सन् 1932 में रालेगण सिद्धि गाँव में पहला औपचारिक स्कूल खुला। यह एक कक्षा का प्राथमिक स्कूल था। सन् 1962 में ग्रामवासियों ने सामुदायिक स्वयंसेवकों के प्रयासों से स्कूल में कुछ और कक्षाएँ जोड़ दीं। 1971 तक गाँव की अनुमानित जनसंख्या 1209 थी, जिसमें से केवल 30.43 प्रतिशत (72 महिलाएँ और 290 पुरुष) साक्षर थे। उच्चतर शिक्षा पाने के लिए लड़के निकटवर्ती शहर शिरूर और परनेर चले जाते थे; लेकिन लड़कियाँ ऐसा नहीं कर सकती थीं और उनकी शिक्षा प्राथमिक स्तर तक सीमित रह जाती थी। अन्ना हजारे ने रालेगण सिद्धि के युवकों को साथ लेकर साक्षरता दर और शिक्षा स्तरों को बढ़ाने की दिशा में काम किया। 1976 में उन्होंने प्राइमरी स्कूल के लिए एक प्री-स्कूल शुरू किया और 1979 में एक हाई स्कूल खोला। गाँववालों ने गाँव के इस स्कूल में सक्रिय दिलचस्पी लेनी शुरू कर दी और 'संत यादव बाबा शिक्षण प्रसारक मंडल' (चैरिटेबल ट्रस्ट) का गठन किया, जो 1979 में पंजीकृत हुआ। ट्रस्ट ने गाँव के स्कूल को चलाने की जिम्मेदारी अपने ऊपर लेने का निर्णय किया, क्योंकि सरकारी उपेक्षा के कारण स्कूल बहुत खराब स्थिति में था। स्कूल के कार्यों में अध्यापकों की ओर से भी रुचि का अभाव था। वे शायद समय काटने के लिए ही स्कूल आते थे।

ट्रस्ट ने 'राष्ट्रीय ग्रामीण शिक्षा कार्यक्रम' (एन.आर.ई.पी.) के चलते स्कूल की बिल्डिंग के लिए सरकार से 4 लाख रुपए का अनुदान प्राप्त कर लिया। स्वयंसेवकों के प्रयासों और अनुदान के जरिए प्राप्त धनराशि से अगले दो महीनों में स्कूल की नई इमारत का निर्माण हो गया। समाज के निर्धन वर्गों से आए 200 छात्रों के लिए एक नया हॉस्टल (छात्रावास) भी बनाया गया। गाँव में स्कूल खुल जाने के बाद रालेगण सिद्धि की एक लड़की ने पहली बार 1982 में एस.एस.सी. तक की शिक्षा पूरी की। तब से गाँव के जीवन में अनेक परिवर्तन आए हैं, जिनका श्रेय उस स्कूल को जाता है। इस स्कूल में 150 छात्रों के रहने के लिए एक हॉस्टल है। सरकार द्वारा निर्धारित पाठ्यचर्या के अलावा इस स्कूल में परंपरागत खेती-बाड़ी की शिक्षा भी दी जाती है।

शासकीय वेबसाइट के अनुसार, ग्रामवासियों की प्रति व्यक्ति आय 225 रुपए से बढ़कर 2,500 रुपए हो गई है। इसके फलस्वरूप गाँव की अर्थव्यवस्था पूरी तरह बदल गई है। ग्रामवासियों के रहन-सहन के स्तर में बहुत सुधार हुआ है और अमीरों एवं गरीबों के बीच का अंतर कम हो गया है। गाँव की आर्थिक दशा में काफी सुधार के बाद ग्रामवासियों ने वित्तीय अंशदान व श्रमदान के जरिए करीब 1 करोड़ रुपए की लागत से स्कूल, छात्रावास और जिमखाना भवनों का निर्माण किया तथा गाँव के पुराने मंदिर का जीर्णोद्धार किया।

अस्पृश्यता दूर करना

भारत में रालेगण सिद्धि सहित किस भी अन्य गाँव की तरह अस्पृश्यता एक सामाजिक समस्या बनी हुई थी। आज सभी जातियों एवं वर्ग के लोग एक ही परिवार के सदस्यों की भाँति एक साथ रहते हैं। लगातार सूखे की मार के कारण परेशान दलित समुदाय के सदस्य खेती-बाड़ी के लिए लिये गए बैंक ऋण चुकता नहीं कर सके। बैंक ने कर्ज की वसूली करने के लिए उनकी बंधक रखी भूमि को बेचने का फैसला किया। ऐसे नाजुक समय में बाकी ग्रामवासियों ने दलितों की खेत-भूमि को जोतने और फसल काटकर ऋण चुकाने का निर्णय किया। ग्रामवासियों ने सन् 1983-84 और 1984-85 में श्रमदान (स्वैच्छिक श्रम) के जरिए उनकी भूमि को जोता तथा बैंक का कर्ज चुकाया और उनकी जमीन बचा ली।

सामूहिक विवाह

अधिकतर निर्धन ग्रामीण कर्ज के दुष्चक्र में फँस जाते हैं, क्योंकि उन्हें अपने पुत्र या पुत्री के विवाह के समय भारी खर्च उठाना पड़ता है। यह एक अवांछनीय प्रथा है; लेकिन भारत में यह प्रथा लगभग एक सामाजिक बाध्यता बन गई है। रालेगण के लोगों ने विवाहों का सामूहिक आयोजन करना शुरू कर दिया है। दावत का आयोजन मिलकर किया जाता है, जिससे खर्च और कम हो जाता है; क्योंकि भोजन बनाने और परोसने की जिम्मेदारी 'तरुण मंडल' निभाता है। 'तरुण मंडल' में शामिल उत्पीड़ित जातियों के सदस्यों ने बरतन-भांडे, लाउडस्पीकर, मंडप और सजावट की वस्तुएँ आदि भी खरीद ली हैं। सन् 1976 से 1986 तक इस व्यवस्था के अंतर्गत 424 विवाह संपन्न किए गए।

ग्रामसभा

भारत के गाँवों में ग्रामसभा एक महत्त्वपूर्ण स्थान रखती है। इस मंच पर सामूहिक निर्णय लिये जाते हैं। यदि गाँववालों को योजना बनाने और निर्णय प्रक्रिया में शामिल किया जाता है तो वे गाँव में हो रहे किसी भी परिवर्तन के प्रति अधिक खुला दिल रखकर सोचते और काम करते हैं। अन्ना ने 1998 और 2006 के बीच ग्रामसभा अधिनियम में संशोधन के लिए अभियान चलाया, ताकि लोगों (अर्थात् ग्रामवासियों) को अपने-अपने गाँवों में विकास कार्यों में अपनी राय जाहिर करने का अधिकार मिल सके। हालाँकि राज्य सरकार ने उनकी माँग स्वीकार करने से मना कर दिया था, लेकिन फिर जनता के दबाव के कारण उसे झुकना ही पड़ा। इन संशोधनों के अनुसार, गाँव में विकास कार्यों पर होनेवाले व्यय के लिए अब ग्रामसभा (सामूहिक ग्रामवासियों, न कि ग्राम पंचायत में चुने गए थोड़े से प्रतिनिधियों) की मंजूरी लेना अनिवार्य हो गया है। ग्रामसभा की मंजूरी के बिना खर्च के मामले में ग्रामसभा के 20 प्रतिशत सदस्य अपने हस्ताक्षरों के साथ एक शिकायत जिला परिषद् के मुख्य कार्यपालक अधिकारी को दे सकते हैं। मुख्य कार्यपालक अधिकारी गाँव का दौरा करेगा और 30 दिन के अंदर जाँच-पड़ताल करके मंडलायुक्त (डिवीजनल कमिश्नर) को रिपोर्ट प्रस्तुत करेगा। मंडलायुक्त को उस रिपोर्ट के आधार पर दोषी पाए गए सरपंच तथा ग्रामसेवक को बरखास्त करने का अधिकार है। अन्ना अब भी संतुष्ट नहीं थे, क्योंकि संशोधित कानून में 'सरपंच को वापस बुलाने का अधिकार' शामिल नहीं था। उन्होंने आग्रह किया कि संशोधन में यह अधिकार शामिल होना चाहिए और राज्य सरकार को आखिरकार उनका यह आग्रह मानना पड़ा।

रालेगण सिद्धि में ग्रामसभा की बैठकों का आयोजन, समय-समय पर, ग्राम कल्याण से संबंधित विषयों पर चर्चा करने के लिए किया जाता है। वाटरशेड विकास कार्यों को ग्रामसभा में विचार-विमर्श के बाद ही आरंभ किया जाता है। नसबंदी, नशाबंदी (शराब पीने पर रोक), कुल्हाड़बंदी (पेड़ों की कटाई पर रोक), चराईबंदी (ढोर चराने पर रोक) और श्रमदान जैसे सभी निर्णय ग्रामसभा में लिये गए थे। निर्णय एक साधारण बहुमत की सम्मति से लिये जाते थे। अगर कोई मतभेद हो तो बहुमत की सम्मति मान्य होती है। ग्राम सभा का निर्णय अंतिम माना जाता है।

पंचायत के अलावा कई पंजीकृत समितियाँ हैं, जो गाँव की विभिन्न परियोजनाओं और क्रियाकलापों की देखभाल करती हैं। पिछले 35 सालों से रालेगण सिद्धि में अनेक संस्थाएँ और सहकारी समितियाँ विभिन्न शासनादेशों के

अधीन कार्य कर रही हैं—जैसे कि ग्राम पंचायत, सहकारी उपभोक्ता समिति, सहकारी ऋण समिति, सहकारी डेयरी, शिक्षा समिति, महिला संगठन और युवक संगठन। इन संस्थाओं के सदस्यों के चयन के लिए आज तक कोई चुनाव नहीं हुए हैं। सदस्यों का चयन ग्रामसभा में ग्रामवासियों की सर्वसम्मति से किया गया। इस प्रकार ग्राम्य स्तर पर ग्रामसभा एक प्रभावशाली मंच बन गया है, जहाँ निर्णय सामूहिक रूप से लिये जाते हैं। गाँव में सभी विकास कार्यक्रमों को ग्रामसभा की स्वीकृति लेने के बाद कार्यान्वित किया जाता है।

प्रत्येक समिति (अर्थात् सोसाइटी) अपनी वार्षिक रिपोर्ट और लेखा-विवरण हर वर्ष ग्रामसभा में पेश करती है। संत यादव बाबा शिक्षण प्रसारक मंडली शिक्षा संबंधी क्रियाकलापों की निगरानी करती है। विविध कार्यकारी समिति उर्वरकों, बीजों, जैविक खेती, वित्तीय सहायता आदि के बारे में किसानों की मदद करती है। 'श्री संत यादव बाबा दुग्ध उत्पादक सहकारी संस्था' डेयरी व्यवसाय के बारे में मार्गदर्शन प्रदान करती है। सात सहकारी सिंचाई समितियाँ किसानों को सहकारी कुओं से पानी मुहैया कराती हैं। 'महिला सवर्ग उत्कर्ष मंडल' महिलाओं के कल्याण संबंधी आवश्यकताओं को देखता है।

महाराष्ट्र में भ्रष्टाचार-विरोधी प्रदर्शन

सन् 1985-86 के दौरान बिजली आपूर्ति की स्थिति बहुत खराब हो गई थी। वोल्टेज इतना कम होता था कि पंप नहीं चल पाते थे, जिसके कारण कुओं में पानी होते हुए भी किसान पानी नहीं खींच सकते थे। बिजली का करंट घटने-बढ़ने से मोटर जल जाती थी और फसल खराब हो रही थी। इस बारे में सरकार से बराबर संपर्क रखने के बावजूद कुछ किया नहीं जा रहा था।

28 नवंबर, 1989 को हजारे इस समस्या के हल के लिए विवश होकर अनशन पर बैठ गए। उनके 8 दिन के अनशन के बाद उनकी हालत बिगड़ गई और उन्हें अहमदनगर के सिविल अस्पताल में भरती कराना पड़ा। इसके बावजूद जब सरकार की नींद नहीं खुली तो तीन तहसीलों के किसानों का गुस्सा उफन पड़ा और उन्होंने सड़क जाम करना शुरू कर दिया। इस डर से कि आंदोलन कहीं गलत मोड़ न ले ले या कोई अनुचित घटना न हो जाए, अन्ना ने अस्पताल के बिस्तर से ही किसानों से अपील की कि उन्हें कोई गलत काम नहीं करना चाहिए, राष्ट्रीय संपत्ति का नुकसान नहीं करना चाहिए और यात्रियों को किसी भी प्रकार की क्षति नहीं पहुँचानी चाहिए। उनका आंदोलन शांतिपूर्ण होना चाहिए।

पुलिस अधिकारियों को कतई ऐसी उम्मीद नहीं थी कि आंदोलन में इतनी अधिक तादाद में लोग शामिल होंगे—और उनके पास उपलब्ध पुलिस बल बहुत कम था। तथापि उनका अनुमान गलत साबित हुआ, क्योंकि आंदोलन में 10,000 से अधिक पुरुषों और 1,200 महिलाओं ने भाग लिया। आंदोलनकर्ताओं ने कहा कि पुलिस चाहे तो उन्हें जेल ले जा सकती है। किंतु उन्हें ले जाने के लिए पुलिस के पास पर्याप्त साधन नहीं थे। फिर भी, पुलिस ने सड़क अवरोध हटाने का प्रयास किया। आंदोलनकर्ताओं के साथ अनुचित व्यवहार के कारण पुलिस और आंदोलनकर्ताओं के बीच झड़प हो गई और पुलिस ने उनपर लाठी चला दी।

पुलिस की इस बदसलूकी से वे और भी उत्तेजित हो गए और उन्होंने पुलिस बल पर पत्थर फेंकने शुरू कर दिए। चूँकि स्थिति नियंत्रण के बाहर हो रही थी, इसलिए अतिरिक्त पुलिस बल बुलवाया गया और फिर पुलिस ने आंदोलनकारियों पर गोली चला दी, जिसमें 4 किसानों की मौके पर ही मृत्यु हो गई और 7 किसान बुरी तरह घायल हो गए। अस्पताल में यह खबर पहुँचने पर हजारे दु:खी हो गए। आंदोलन का उद्देश्य सरकार को जगाना था और लोकतंत्र में ऐसे आंदोलन करना लोगों का अधिकार है। इसमें कुछ भी अनुचित नहीं है। अनशन के दौरान ही अन्ना ने अपना जीवन समाप्त करने की ठान ली, लेकिन सरकार के वरिष्ठ पदाधिकारियों और मंत्रियों ने भी अन्ना से अपना अनशन समाप्त करने की अनुनय-विनय की; क्योंकि उन्हें डर था कि यदि आंदोलन जारी रहा तो और भी बहुत से किसानों की जानें जा सकती हैं और निर्दोष किसानों की जान बचाने की खातिर अन्ना ने अपना अनशन वापस ले लिया।

आदर्श गाँव योजना

गांधीजी ने जैसे 'आदर्श गाँव' की कल्पना की थी, उस कल्पना को अन्ना हजारे ने रालेगण सिद्धि में सच कर दिखाया। यह उनकी महान् समर्पण भावना का ही परिणाम था। महान् स्वतंत्रता सेनानी श्री अच्युतराव पटवर्धन ने महाराष्ट्र सरकार को सुझाव दिया कि 'भारत छोड़ो आंदोलन' की स्वर्णिम जयंती मनाने का सबसे अच्छा तरीका यह होगा कि राज्य की हर तहसील में रालेगण सिद्धि जैसे आदर्श गाँव बनाए जाएँ। सरकार ने यह सुझाव मान लिया और 'आदर्श गाँव योजना' को लागू करने का निर्णय किया। सरकार ने यह जिम्मेदारी उन्हें सौंप दी और 'आदर्श गाँव योजना' उनके नेतृत्व में आरंभ की गई। उन्होंने समूचे महाराष्ट्र का भ्रमण किया और इस योजना को कार्यान्वित करने हेतु 300 गाँवों का चयन किया।

भ्रष्टाचार-विरोधी आंदोलन

सन् 1991 में हजारे ने रालेगण सिद्धि में भ्रष्टाचार-विरोधी जन-आंदोलन (बी.वी.जे.ए.) शुरू किया, जिसका उद्देश्य भ्रष्टाचार के खिलाफ संघर्ष छेड़ना था। उसी वर्ष उन्होंने वन विभाग के 40 पदाधिकारियों और इमारती लकड़ी व्यापारियों के बीच मिलीभगत के खिलाफ विरोध-प्रदर्शन किया, जिसके परिणामस्वरूप उन पदाधिकारियों का तबादला और निलंबन हुआ।

मई 1997 में हजारे ने 'वसंतराव नायक भत्य विमुक्त जमाति विकास मंच' और 'महात्मा फुले मागसवर्गीय विकास मंडल' द्वारा बिजली-करघों की खरीद में की गई गड़बड़ी के खिलाफ विरोध-प्रदर्शन किया। ये संस्थाएँ उस समय तत्कालीन महाराष्ट्र सरकार के समाज कल्याण मंत्री शिव सेना के बबनराव घोलप के सीधे नियंत्रणाधीन थीं, क्योंकि 1995 में राज्य में शिवसेना-भाजपा की सरकार के सत्ता में आने के बाद उनकी प्रबंध समितियाँ भंग कर दी गई थीं। हजारे ने घोलप की पत्नी शशिकला द्वारा अप्रैल से सितंबर 1996 के बीच कथित रूप से बहुत अधिक जमीन खरीदे जाने का मामला भी उठाया। महाराष्ट्र के तत्कालीन राज्यपाल पी.सी. अलेक्जेंडर को उन्होंने अपने आरोपों के समर्थन में उपलब्ध दस्तावेजी साक्ष्य भी साथ में भेज दिए।

4 नवंबर, 1997 को घोलप ने हजारे द्वारा उनपर भ्रष्टाचार का आरोप मढ़ने के विरुद्ध उनके खिलाफ मानहानि का दावा दायर कर दिया। सन् 1998 में उन्हें गिरफ्तार कर लिया गया और फिर 5,000 रुपए के निजी मुचलके पर उन्हें रिहा किया गया। 9 सितंबर, 1998 को मुंबई महानगर न्यायालय द्वारा तीन महीने के साधारण कारावास की सजा सुनाए जाने के बाद उन्हें यरवदा जेल भेज दिया गया। उस समय के सभी सामाजिक कार्यकर्ताओं को उन्हें दी गई इस सजा से गहरा झटका लगा। भाजपा और शिवसेना को छोड़कर सभी राजनीतिक दलों के नेतागण उनके समर्थन में निकल पड़े। बाद में व्यापक जन-विरोध के कारण महाराष्ट्र सरकार ने उन्हें जेल से रिहा करने के आदेश जारी कर दिए। रिहाई के बाद हजारे ने तत्कालीन मुख्यमंत्री मनोहर जोशी को एक पत्र लिखकर घोलप को 'अवामी मर्चेंट बैंक' में कथित कदाचारों में उसकी भूमिका के लिए मंत्री पद से हटाने की माँग उठाई। अंततः घोलप ने 27 अप्रैल, 1999 को मंत्रिमंडल से इस्तीफा दे दिया।

सन् 2003 में हजारे ने कांग्रेस-एन.सी.पी. सरकार में शामिल एन.सी.पी. के चार मंत्रियों के खिलाफ भ्रष्टाचार के आरोप लगाए। 9 अगस्त, 2003 को

वे आमरण अनशन पर बैठ गए। उन्होंने अपना अनशन 17 अगस्त, 2003 को तब समाप्त किया जब तत्कालीन मुख्यमंत्री सुशील कुमार शिंदे ने उनके आरोपों की जाँच करने के लिए सेवानिवृत्त न्यायाधीश पी.बी. सावंत की अध्यक्षता में आयोग गठित करने की घोषणा कर दी। 'पी.बी. सावंत आयोग' ने अपनी रिपोर्ट 23 फरवरी, 2005 को प्रस्तुत की। रिपोर्ट में सुरेश जैन, नवाब मलिक और पद्मसिंह पाटिल पर लगाए गए आरोपों को सही पाया गया। रिपोर्ट ने विजय कुमार गवित को निर्दोष ठहराया। सुरेश जैन और नवाब मलिक ने मार्च 2005 में मंत्रिमंडल से इस्तीफा दे दिया।

सूचना का अधिकार के लिए आंदोलन

2000 के दशक के आरंभ में अन्ना हजारे ने महाराष्ट्र में एक ऐसे आंदोलन का नेतृत्व किया, जिसने महाराष्ट्र सरकार को पहले वाला कमजोर कानून रद्द करने और एक अधिक शक्तिशाली 'महाराष्ट्र सूचना अधिकार अधिनियम' पारित करने के लिए बाध्य कर दिया। इस कानून को बाद में केंद्र सरकार द्वारा बनाए गए 'सूचना का अधिकार अधिनियम' (राइट टू इन्फॉर्मेशन एक्ट) के लिए मूल दस्तावेज माना गया।

अन्ना हजारे को लगातार 11 वर्ष तक सरकार से संघर्ष करना पड़ा, ताकि सूचना के अधिकार, ग्रामसभा के लिए अधिक अधिकार, सरकारी अधिकारियों के स्थानांतरण का विनियमन, मद्य-निषेध और लालफीताशाही के विरुद्ध कानून बनाकर नागरिकों को अधिकार दिलाए जा सकें।

- 11 मार्च, 1995 को शिवसेना-भाजपा की सरकार सत्ता में आने के बाद अन्ना हजारे ने भ्रष्टाचार पर अंकुश लगाने के लिए कदम उठाने के लिए सरकार के साथ लिखा-पढ़ी शुरू कर दी। अन्ना ने 15 बार सरकार को लिखा और उसके साथ अनेक बैठकों में भी भाग लिया।
- उन्होंने 12 जनवरी, 1998 को एक पत्र सरकार को भेजा, जिसमें भ्रष्टाचार पर रोक लगाने हेतु सूचना के अधिकार का कानून बनाने की माँग की गई थी।
- अनेक पत्र लिखने और अनेक बार चर्चा करने के बाद भी जब सरकार ने उनकी माँगों पर कोई ध्यान नहीं दिया तो अन्ना ने 6 अप्रैल, 1995 को आजाद मैदान, मुंबई में धरना आरंभ कर दिया।
- उन्होंने 6 अप्रैल, 1998 और 2 अगस्त, 1999 के बीच पुनः 10 बार

सरकार को लिखकर 'सूचना के अधिकार' का कानून बनाने की माँग की। इस बीच कांग्रेस-एन.सी.पी. सरकार सत्ता में आ गई।

- नवगठित सरकार के साथ उन्होंने 5 बार लिखा-पढ़ी की और कानून बनाने के लिए सरकार पर दबाव डाला। इसका भी कोई परिणाम न निकलने पर अन्ना ने 6 अप्रैल, 2000 को सरकार को पत्र लिखकर यह चेतावनी दे दी कि 1 मई से राज्य भर में कलेक्टर कार्यालयों के आगे धरना-आंदोलन शुरू कर दिया जाएगा और 20 मई, 2000 से वे अनशन पर चले जाएँगे।

- निर्धारित समयानुसार 2 मई को पूरे राज्य में सभी कलेक्टर कार्यालयों के आगे धरना-आंदोलन शुरू हो गया। अनशन स्थगित कर दिया गया, क्योंकि केंद्र सरकार ने लोकसभा में सूचना प्रौद्योगिकी संबंधी एक बिल पास कर दिया था।

- कोशिशें चलती रहीं। सरकार को 14 बार लिखने और सरकार के साथ बैठकें करते-करते एक साल बीत गया।

- 1 मार्च, 2001 को उन्होंने सरकार को लिखा कि यदि सरकार ने कानून नहीं बनाया तो वह 1 मई से राज्य व्यापी मौन-आंदोलन आरंभ कर देंगे। मुख्यमंत्री ने अन्य संबंधित मंत्रियों एवं सचिवों के साथ एक बैठक की और सरकार ने वचन दिया कि सरकार आगामी सत्र में बिल पास कर देगी।

- मुख्यमंत्री से मिले वचन के बाद 81 दिन बीत गए। सरकार के साथ अन्ना का पत्राचार चलता रहा। 1 मार्च, 2001 को अन्ना ने सरकार को फिर से लिखकर सूचित किया कि वे 9 अगस्त, 2001 को अपने गाँव रालेगण सिद्धि में मौन-व्रत पर बैठ जाएँगे।

- अपनी चेतावनी के अनुसार उन्होंने 9 अगस्त को मौन-आंदोलन आरंभ कर दिया। उसी दिन लोगों ने संपूर्ण महाराष्ट्र में आंदोलन शुरू कर दिया।

- मौन के 4 दिनों के बाद विधि एवं न्यायमंत्री श्री विलास काका उनदलकर अन्ना के साथ चर्चा करने के लिए रालेगण सिद्धि आए। मंत्री महोदय ने महाराष्ट्र के मुख्यमंत्री और मुख्य सचिव के साथ उनकी बात करा दी। उनसे आश्वासन मिलने के बाद अन्ना ने अपना मौन समाप्त कर दिया।

- 19 वर्ष एवं 1 माह का समय बीत जाने और 15 से अधिक पत्र लिखने के बाद भी सरकार की तरफ से कोई काररवाई नहीं हो रही थी। अत: अन्ना ने 21 सितंबर, 2002 को दुबारा मौन शुरू कर दिया। 5 दिनों के बाद महाराष्ट्र सरकार के चार मंत्रियों—अर्थात् श्री दिलीप वाल्से पाटिल, शिवाजीराव कर्डिले, शिवाजीराव मोघे और आर.आर. पाटिल ने रालेगण सिद्धि आकर अन्ना हजारे के साथ विचार-विमर्श किया। मुख्यमंत्री और मुख्य सचिव से लिखित आश्वासन लेने के बाद अन्ना ने अपना आंदोलन समाप्त कर दिया।

- लेकिन जब देखा कि सरकार अपना वचन नहीं निभा रही है तो अन्ना ने फिर से 21 जनवरी को चेतावनी दे दी कि वे 20 फरवरी को मुंबई में आंदोलन आरंभ कर देंगे।

- 30 अक्तूबर, 2002 को मुंबई में अन्ना हजारे और सरकार के बीच एक बैठक हुई, जहाँ मुख्यमंत्री, मुख्य सचिव, अन्य मंत्रियों तथा वरिष्ठ अधिकारियों ने सरकार की ओर से बैठक में भाग लिया। फिर एक वादा किया गया।

- इस बीच महाराष्ट्र के मुख्यमंत्री बदल गए। नए मुख्यमंत्री सुशील कुमार शिंदे ने अन्ना हजारे को सूचित किया कि मंत्रियों और वरिष्ठ अधिकारियों के साथ एक बैठक के बाद एक निर्धारित समय के अंदर कोई समाधान अवश्य खोज लिया जाएगा। अत: अन्ना ने अपना अनशन स्थगित कर दिया।

- 17 फरवरी को मुंबई सचिवालय में एक उच्च स्तरीय बैठक आयोजित की गई और मुख्यमंत्री ने वचन दिया कि उपयुक्त काररवाई की जाएगी।

- सरकार द्वारा अपना वादा पूरा न करने पर अन्ना ने 9 अगस्त, 2003 से मुंबई में आंदोलन करने की चेतावनी पुन: सरकार को दे डाली।

- अन्ना अंतत: 9 अगस्त, 2003 को मुंबई के आजाद मैदान में अनशन पर बैठ गए। उनके आंदोलन के समर्थन में सारे महाराष्ट्र से हजारों लोग अनशन स्थल पर जमा होने लगे। उसके साथ ही साथ लोगों ने सभी जिला मुख्यालयों में कलेक्टर कार्यालयों के आगे भी विरोध-प्रदर्शन करना शुरू कर दिया। सरकार पर सब तरफ से भारी दबाव पड़ने लगा। अगर कानून पास नहीं हुआ तो सरकार के गिर जाने का डर था। अंतत: भारत के राष्ट्रपति ने अन्ना के अनशन के 12वें दिन बिल पर हस्ताक्षर

कर दिए और घोषणा कर दी कि उक्त अधिनियम 2002 से लागू होगा। अन्ना ने एक जाने-माने सामाजिक कार्यकर्ता श्री तुकाराम दादा गीताचार्य के हाथों अपना अनशन समाप्त किया।

- 'सूचना का अधिकार अधिनियम' महाराष्ट्र में 2002 से लागू हुआ। अन्ना फिर भी पीछे पड़े रहे और तभी माने, जब वही कानून सारे देश के लिए लागू हो गया।
- इसी प्रकार ग्रामसभा को अधिक अधिकार प्रदान करने का कानून और लालफीताशाही के विरुद्ध कानून भी सरकार ने पास कर दिए।

महाराष्ट्र राज्य में सूचना के अधिकार की माँग को लेकर एक अभियान शुरू किया गया। चूँकि जनता के प्रतिनिधि और सरकारी नौकर लोक सेवक माने जाते हैं तथा महाराष्ट्र के नागरिक सरकारी धन के मालिक हैं, इसलिए नागरिकों को लोक सेवकों से यह पूछने का पूरा अधिकार है कि वे सार्वजनिक धन को कैसे और कहाँ खर्च करते हैं! उन्होंने 'सूचना के अधिकार' के लिए एक कानून बनाने पर जोर दिया। पहला आंदोलन 1997 में आजाद मैदान, मुंबई में आयोजित किया गया। राज्य सरकार केवल वादे कर रही थी, लेकिन विधानसभा के अनेक सत्रों में भी सरकार अपनी स्थिति स्पष्ट नहीं कर सकी। अन्ना को बहुत बार आंदोलन करने पड़े, धरनों पर बैठना पड़ा; मोरचों, मौन-व्रत और उपवास का सहारा लेना पड़ा।

लोगों को जागरूक करने और जानकारी देने के उद्देश्य से राज्यव्यापी यात्राओं का आयोजन किया गया। अनेक शहरों में जनसभाएँ की गईं और कॉलेज छात्रों के लिए विशेष कार्यक्रम आयोजित किए गए। हजारों इश्तहार, पोस्टर, बैनर तथा फोल्डर छपवाए गए और वितरित किए गए। इन सब प्रयासों से लोगों में जागरूकता आई और उन्हें पता चल गया कि 'सूचना का अधिकार' उनका मौलिक अधिकार है।

सरकार ने अनेक वादे किए, लेकिन एक भी वादा पूरा नहीं किया। कोई भी सरकार अपनी सत्ता का विकेंद्रीकरण करना और लोगों के हाथों में सत्ता सौंपना नहीं चाहती है। अधिकतर राजनीतिज्ञों का मानना है कि सत्ता के विकेंद्रीकरण से उनका महत्त्व घट जाएगा तथा उनकी हैसियत और उनका आदर-सम्मान कम हो जाएगा। इसी कारण सरकार सूचना के अधिकार के लिए कानून बनाने में आना-कानी कर रही थी।

अंतत: अन्ना हजारे 'करो या मरो' के उत्साह के साथ 9 अगस्त, 2003 को आजाद मैदान, मुंबई में आमरण अनशन पर चले गए। उन्होंने निश्चय कर लिया कि जब तक सरकार द्वारा कानून पास नहीं किया जाएगा तब तक वे अपना अनशन समाप्त नहीं करेंगे; बल्कि लोगों के अधिकारों की खातिर वे अपना जीवन भी त्याग देंगे। महाराष्ट्र सरकार को पता लग गया कि अन्ना का संकल्प पक्का है और वे 'करो या मरो' के अपने निश्चय से पीछे नहीं हटेंगे। उनके अनशन के 12वें दिन महाराष्ट्र सरकार ने बिल पर भारत के राष्ट्रपति के हस्ताक्षर करा लिये और महाराष्ट्र में 'सूचना का अधिकार' कानून बना दिया। 'सूचना के अधिकार' पर कानून बनना लोकतंत्र को सुदृढ़ करने की दिशा में एक क्रांतिकारी कदम है।

इस अधिनियम के कारण प्रशासन में पारदर्शिता आई है। अब एक साधारण आदमी केवल 10 रुपए या 20 रुपए का नाममात्र का शुल्क देकर सूचना प्राप्त कर सकता है। इससे सुशासन और स्वस्थ लोकतंत्र का मार्ग प्रशस्त हुआ है।

अगर इस कानून की जानकारी हर गाँव और हर घर तक पहुँच जाए तो यह कानून 80–85 प्रतिशत तक भ्रष्टाचार समाप्त कर सकता है। भ्रष्टाचार की वजह से पहले केवल 10 प्रतिशत लोगों को गरीबी-उन्मूलन कार्यक्रमों का वास्तविक लाभ मिल पाता था, बाकी पैसा ऊपर से नीचे तक भ्रष्ट अधिकारियों तथा राजनीतिज्ञों की जेबों में चला जाता था। अब सूचना के अधिकार संबंधी कानून के कारण गरीब ग्रामीणों को विकास-प्रक्रिया में अपना उचित हिस्सा मिल सकेगा। यह कानून बन जाने के बाद परियोजना कार्यों की गुणवत्ता में भी सुधार आने लगा है।

'सूचना का अधिकार' अधिनियम में संशोधनों पर केंद्र सरकार की रोक

स्वतंत्रता-प्राप्ति के 58 वर्ष बाद 'सूचना का अधिकार' कानून बनाना एक सकारात्मक कदम कहा जा सकता है। किंतु इस कानून में भ्रष्टाचार को बहुत हद तक समाप्त करने की जो ताकत है, उसे देखते हुए कुछ राजनीतिज्ञों को महसूस हुआ कि यह कानून उनके भ्रष्ट तरीकों के रास्ते में बाधक बन जाएगा। प्रधानमंत्री मनमोहन सिंह की सरकार ने मौजूदा अधिनियम में संशोधनों के लिए एक बिल पेश किया। प्रस्तावित संशोधन इस अधिनियम के मूल उद्देश्य के लिए हानिकारक थे। नागरिकों को ये अधिकार एक लंबे संघर्ष के बाद मिली स्वाधीनता

के 58 वर्षों के उपरांत प्राप्त हुए थे। प्रस्तावित संशोधन इन अधिकारों को निष्फल कर देना चाहते थे। इन संशोधनों के विरोध में अन्ना हजारे ने पुणे के निकट अलंदी में आमरण अनशन आरंभ कर दिया।

अन्ना का अनशन शुरू होने के दो दिन के अंदर ही महाराष्ट्र के विभिन्न जिलों में लोगों ने उनकी माँग के समर्थन में अपनी ओर से आंदोलन आरंभ कर दिया। धीरे-धीरे यह आंदोलन भारत के अन्य भागों में भी फैल गया। लोगों ने नौ स्थानों पर 'रेल रोको आंदोलन' किया। अमेरिका में रहनेवाले कुछ भारतीयों ने भी इस आंदोलन के समर्थन में अनशन किया। देश और देश के बाहर आंदोलन को जोर पकड़ते देखकर प्रधानमंत्री मनमोहन सिंह ने अपने एक मंत्री को दूत के रूप में अलंदी भेजा और वादा किया कि केंद्र सरकार द्वारा वर्तमान 'सूचना का अधिकार अधिनियम' में संशोधन नहीं किया जाएगा। उन्होंने अन्ना हजारे से अपना अनशन समाप्त करने का अनुरोध किया और 9वें दिन अन्ना ने अनशन तोड़ दिया। सौभाग्यवश, सरकार ने 'सूचना का अधिकार अधिनियम' में प्रस्तावित संशोधन न करने का विचार त्याग दिया।

स्थानांतरण-नियमन के लिए अधिनियम

चूँकि सरकारी अधिकारियों के स्थानांतरण अर्थात् तबादलों के बारे में कोई स्पष्ट नीति नहीं थी, इसलिए लोक प्रतिनिधि और सरकार के वरिष्ठ अधिकारी अपने अधिकार का दुरुपयोग करते हुए सरकारी कर्मचारियों का अपनी मरजी से तबादला कर देते थे। इन तबादलों में अकसर पैसे का लेन-देन होता है। इस प्रकार तबादला रिश्वतखोरी का एक जरिया बना हुआ था।

यदि कोई निर्वाचित प्रतिनिधि अपने रिश्तेदार या अपने किसी विश्वासपात्र को किसी ऐसे महत्त्वपूर्ण पद पर तैनात कराना चाहता है, जहाँ कोई ईमानदार अधिकारी पहले से काम कर रहा है तो वह अपने अधिकार का दुरुपयोग करके उस ईमानदार व्यक्ति को दूसरी जगह स्थानांतरित करवा देगा। इस तरह वह जगह खाली हो जाएगी, जहाँ वह अपने आदमी को लाना चाहता है। ईमानदार अधिकारी के प्रति यह अन्याय था।

इस अन्याय को रोकने के लिए उन्होंने एक ऐसा कानून लाने की मुहिम छेड़ी, जिसके चलते किसी भी अधिकारी की बदली उसके वरिष्ठ अधिकारियों या प्रभावशाली राजनीतिज्ञों की मरजी से, कम-से-कम तीन वर्ष तक, नहीं हो सकेगी। इसके साथ ही यह भी देखना जरूरी था कि कोई भी अधिकारी तीन

वर्ष से अधिक समय तक एक ही स्थान पर न बना रहे। लोकसभा और विधानसभा सदस्यों तथा स्थानीय राजनीतिज्ञों एवं सरकार में मंत्रियों और सरकार के वरिष्ठ अधिकारियों ने इस तरह का कानून बनाने का विरोध किया, क्योंकि यह उनके निहित स्वार्थों के विपरीत जाने वाला था। इस कानून के कारण ईमानदार अधिकारियों को कुछ राहत मिली और तबादलों के मामलों में घूसखोरी का खेल बहुत हद तक कम हो गया।

ग्रामसभा के लिए अधिक अधिकार

ग्रामसभा एक ग्राम्य संसद् जैसी होती है, ठीक उसी तरह जैसे लोकतंत्र की भारतीय संसदीय प्रणाली में केंद्र और राज्य स्तर पर क्रमश: लोकसभा एवं विधानसभा होती है। लोकतांत्रिक व्यवस्था में ग्रामसभा सर्वोपरि होती है। भारतीय संविधान में दी गई व्यवस्था के अनुसार, 18 वर्ष की उम्र पूरी कर लेनेवाला प्रत्येक ग्रामवासी स्वत: ग्रामसभा का सदस्य बन जाता है। जो ग्रामीण मत डालने की उम्र प्राप्त कर लेते हैं, वे ग्रामसभा के सदस्य हो जाते हैं। लोकसभा या विधानसभा के लिए जिस तरह चुनाव होते हैं, उस तरह ग्रामसभा के गठन के लिए कोई चुनाव नहीं होता है। यह एक स्वायत्तशासी और प्रभुता-संपन्न निकाय है। ग्रामसभा के सदस्य चुनावों के माध्यम से लोकसभा और विधानसभा के सदस्यों को चुनते हैं, जो बाद में लोकसभा और विधानसभा का गठन करते हैं। सरकार के मंत्रालयों को, चाहे केंद्र स्तर पर हो या राज्य स्तर पर, कोई भी विकास कार्यक्रम आरंभ करने से पहले लोकसभा या विधानसभा को विश्वास में लेना पड़ता है। इसी तरह ग्राम स्तर पर निर्वाचित संस्था, ग्राम पंचायत के लिए, विकास संबंधी कार्यक्रमों को हाथ में लेने से पहले ग्रामसभा को विश्वास में लेना अनिवार्य होता है।

ग्रामसभा को और अधिक अधिकार प्रदान करने हेतु कानून बनाने के लिए 7 वर्ष तक एक जन-आंदोलन चलाया गया। अंतत: महाराष्ट्र की राज्य सरकार ने ग्रामसभा को अधिक अधिकार देने के लिए एक अधिनियम पारित कर दिया। अब ग्राम पंचायत को विभिन्न विकास कार्यक्रमों के लिए सरकार से प्राप्त धनराशि खर्च करने से पहले ग्रामसभा की मंजूरी प्राप्त करना अनिवार्य है। अगर यह पाया जाता है कि ग्राम पंचायत ने ग्रामसभा की अनुमति नहीं ली और ग्रामसभा को सूचित किए बिना धन खर्च कर दिया, उस दशा में गाँव के लोग (मतदाताओं के कम-से-कम 20 प्रतिशत) व्यय की जाँच-पड़ताल के लिए

जिला परिषद् के मुख्य कार्यकारी अधिकारी (चीफ एक्जीक्यूटिव ऑफीसर) के पास जा सकते हैं। सी.ई.ओ. को एक माह के अंदर जाँच करनी होगी और अगर उसकी संतुष्टि हो जाती है कि धनराशि ग्रामसभा की जानकारी के बिना खर्च की गई है तो वह कानूनी काररवाई की सिफारिश करते हुए अपनी रिपोर्ट मंडल आयुक्त को भेज देगा। अधिनियम में व्यवस्था है कि मंडल आयुक्त सरपंच (ग्राम पंचायत के प्रधान), उप-सरपंच और ग्राम सेवक (ग्राम विकास अधिकारी) को बरखास्त कर सकता है।

इस अधिनियम से ग्राम-विकास योजनाओं में काफी हद तक पारदर्शिता लाने और भ्रष्टाचार पर अंकुश लगाने में मदद मिली है। लोकतंत्र में प्रत्येक नागरिक को अपना प्रतिनिधि चुनने का अधिकार होता है। इसी प्रकार उसे निर्वाचित प्रतिनिधि को वापस बुलाने का अधिकार भी होना चाहिए। इससे एक स्वस्थ एवं लोकोन्मुखी लोकतंत्र का विकास होगा। विकास कार्यक्रमों में अधिकाधिक पारदर्शिता लाने के उद्देश्य से लोगों में जागरूकता उत्पन्न करने और इस अधिनियम का उपयोग करने के बारे में उन्हें शिक्षित करने की आवश्यकता है।

अन्ना का वैयक्तिक स्पष्टीकरण

अन्ना हजारे एक साधारण इनसान हैं और उनका जीवन-दर्शन भी बहुत सरल है। लेकिन उनकी उपलब्धियाँ इतनी साधारण नहीं हैं। हालाँकि उन्होंने इतने महान् कार्य किए हैं कि उनके बारे में और कुछ कहने की आवश्यकता नहीं है; लेकिन वे सदैव स्पष्टीकरण देते हैं। उनकी उपलब्धियों ने उन्हें अनेक पुरस्कार दिलाए हैं—जैसे कि इंदिरा प्रियदर्शिनी वृक्ष मित्र पुरस्कार, कृषि भूषण पुरस्कार, पद्मश्री, पद्मभूषण और रेमन मैगसेसे पुरस्कार। केयर इंटरनेशनल (यू.एस.ए.) तथा ट्रांसपैरेंसी इंटरनेशनल, सिओल (दक्षिण कोरिया) ने भी उन्हें सम्मानित किया है।

उनके भिन्न-भिन्न मीडिया बाइट्स से उनके अपने बारे में संकलित संक्षिप्त स्पष्टीकरण इस प्रकार है—

> ''मेरे लिए कोई काला और सफेद नहीं है। यह या तो काला है या सफेद है। भ्रष्टाचार के विरुद्ध मेरी तीखी फटकार ने मुझे हजारों मराठियों (मेरा तात्पर्य भारतीय राज्य महाराष्ट्र के लोगों से है) और देश भर के दूसरे लोगों के दिलों में जगह दिलाई है।''
>
> ''मैं सोचता हूँ कि जब सिकंदर महान् भी इस दुनिया से जाते

समय कुछ भी साथ लेकर नहीं जा सका, तब भौतिकवाद के लिए इतनी लालसा क्यों? जीवन आखिरकार क्या है? दूसरों के लिए भला होना! वास्तव में सेवा में ही आनंद है।' 60 दशक के मध्य में यह संदेश मेरे मन में बैठ गया और मुझे प्रेरित करता रहता है।''

''मैं निराश होकर बैठने वाला नहीं हूँ। और मैं अपनी वचनबद्धता की खातिर सबकुछ बलिदान करने के लिए तैयार हूँ। मेरा जीवन मेरे देशवासियों को समर्पित है। भ्रष्टाचार के विरुद्ध लड़ना मेरा एजेंडा है। मेरे लक्ष्य स्पष्ट हैं। और भ्रष्टाचार से लड़ने के लिए खूब सोच-समझ कर बनाई गई एक योजना है।''

''भ्रष्टाचार के विषय ने मुझे अकसर बड़े-बड़े राजनीतिज्ञों के साथ भिड़ते हुए देखा है। लेकिन उसके अलावा भी मैं कुछ और परिवर्तनों का पक्षधर बनना चाहता हूँ। शिक्षा-प्रणाली में परिवर्तन होना चाहिए, ताकि बच्चे को एक स्वस्थ वातावरण में स्वत: पनपने एवं विकसित होने का मौका मिल सके। जो स्कूल और कॉलेज चंदे के रूप में घूस लेते हैं, वहाँ किसी बालक से आप क्या अपेक्षा करेंगे? वे किस रास्ते पर जाएँगे? 'सरकारी गोपनीयता अधिनियम' (ऑफिशियल सीक्रेट्स एक्ट) एक ऐसा अस्त्र है, जिसका भारत में अत्यधिक इस्तेमाल किया जाता है। सरकार जो कुछ भी छिपाना चाहती है, उसे गलीचे के नीचे सरका दिया जाता है। मैं चाहता हूँ, यह कानून समाप्त किया जाए। सूचना पाने का अधिकार प्रत्येक नागरिक का एक मौलिक अधिकार है। लेकिन यह सिर्फ कागज पर है। क्यों? सूचना तक पहुँचने के लिए एक निश्चित समय-सीमा का होना आवश्यक है। ग्राम स्तर पर अधिक अधिकार दिए जाने का मैं पूरा हिमायती हूँ।''

''बेशक सत्ता के गलियारों में भ्रष्टाचार जन्म लेता है। और दिल्ली, भारत की राजधानी, सूची में बहुत ऊपर है। भ्रष्टाचार से लड़ने के लिए लोगों को जुटाने में समय लगेगा, लेकिन यह भी सच है कि हम उस दिशा में चल पड़े हैं। भारत के पूर्व मुख्य चुनाव आयुक्त टी.एन. शेषन ने इस दिशा में काफी साहसपूर्ण कदम उठाया था; लेकिन फिर बीच रास्ते में नियंत्रण छूट गया। राजनीति में उतरने की पेशकश ने उनकी पहले की महान् छवि को मैला कर दिया है। समय-समय पर भारतीय राजनीतिक दल, जिनमें भाजपा, शिवसेना और कांग्रेस शामिल हैं, मुझे भी उनके साथ राजनीति में आने के लिए कहते रहे हैं। लेकिन मैं अडिग हूँ। मैंने बहुत पहले ही राजनीति में न जाने का निश्चय कर लिया था। हालाँकि यह

2

लोकपाल बिल

सामाजिक कार्यकर्ता अन्ना हजारे द्वारा भ्रष्टाचार-विरोधी कानून के लिए किए गए आमरण अनशन ने लोगों की सूझ-बूझ को झकझोरकर रख दिया है, और भारत में जिस व्यापक सामूहिक विरोध को उसने जन्म दिया है, उसका कोई दूसरा उदाहरण हाल के दिनों में नहीं मिलेगा।

5 अप्रैल, 2011 को अन्ना हजारे ने भारतीय संसद् में एक सशक्त भ्रष्टाचार विरोधी लोकपाल (ओम्बड्समैन) विधेयक पारित कराने के उद्देश्य से एक आंदोलन आरंभ किया। इस आंदोलन का हिस्सा बनकर भारत के सर्वोच्च न्यायालय के पूर्व न्यायाधीश और कर्नाटक के लोकायुक्त एन. संतोष हेगड़े, उच्चतम न्यायालय के एक वरिष्ठ वकील प्रशांत भूषण और 'इंडिया अगेंस्ट करप्शन (भ्रष्टाचार विरुद्ध भारत) के सदस्यों ने मिलकर एक वैकल्पिक विधेयक का प्रारूप तैयार किया, जिसे 'जन लोकपाल विधेयक' (पीपॅल्स ओम्बड्समैन बिल) का नाम दिया गया। इस बिल में अधिक कठोर शर्तें रखी गई थीं और लोकपाल को अधिक व्यापक शक्तियाँ देने की व्यवस्था थी। प्रधानमंत्री मनमोहन सिंह द्वारा उनकी माँग ठुकरा दिए जाने के बाद हजारे ने 5 अप्रैल, 2011 से दिल्ली में जंतर-मंतर पर आमरण अनशन आरंभ कर दिया, ताकि सरकार और सिविल सोसाइटी के प्रतिनिधियों की एक ऐसी संयुक्त समिति गठित करने की माँग के लिए दबाव डाला जा सके, जो एक नए बिल का प्रारूप तैयार करेगी, जिसमें अधिक कठोर दंडात्मक काररवाई की व्यवस्था होगी और लोकपाल तथा लोकायुक्तों (राज्यों में नियुक्त लोकायुक्त) को अधिक स्वतंत्रता प्रदान की जाएगी। आमरण अनशन आरंभ करने से पहले अन्ना ने यह कहा, ''मैं तब तक उपवास करूँगा जब तक कि जन लोकपाल बिल पारित नहीं हो जाता।''

एक कष्टसाध्य स्थिति है। निर्मल छवि रखनेवाले लोगों को राजनीति में प्रवेश करना चाहिए।''

''कभी-कभी मुझ पर आरोप लगाया जाता है कि मैं लोकप्रियता-लोलुप हूँ। मेरा यकीन करें, अगर बात ऐसी होती तो मुझे जीवन में कष्ट ही मिलता। मैं 'गीता' के उपदेशों को मानता हूँ और पूरी तरह समझता हूँ कि अल्पकालिक लाभ आपको कहीं नहीं पहुँचाते हैं। लोग मुझ पर जातिवादी होने का भी दोष मढ़ते हैं। यह उचित नहीं है। मैं जानता हूँ, कुछ विषय मेरे मर्म को छूकर आते हैं। लोग प्राय: मुझसे पूछते हैं कि इन दिनों भ्रष्टाचार इतनी चर्चा में क्यों है? मैं समझता हूँ, हर चीज की एक सीमा होती है। लोगों ने बहुत सहन कर लिया है और अब उनका धैर्य जवाब दे गया है। आम आदमी का जीना दूभर हो चुका है।''

''मुझे आश्चर्य है, लोग क्यों नहीं समझ पाते हैं कि एक गणराज्य में असली सत्ता उन्हीं में निहित होती है। लेकिन यह सत्ता राजनीतिज्ञों या नौकरशाहों के पास चली गई है, हालाँकि उन्हें लोक सेवक समझा जाता है। कैसी विडंबना है! अत: हमारे अंदर के शत्रु के साथ हमें कैसे पेश आना चाहिए? मैं समझता हूँ, हमें एक और स्वतंत्रता की लड़ाई लड़ने की आवश्यकता है। और इस संघर्ष में हिस्सा लेनेवालों को उसी प्रकार जेल जाने तथा अपने जीवन का त्याग करने के लिए तैयार रहना चाहिए, जिस प्रकार उन्होंने अंग्रेजों को बाहर करने के लिए संघर्ष किया था।''

''मेरे लिए यह पुनर्जन्म के समान है। सन् 1965 में पाकिस्तान से युद्ध के दौरान मैं सेना में था। मेरे सभी साथी खेमकरण में मारे गए। मैं ही बचा रह गया। बाद में, नई दिल्ली रेलवे स्टेशन पर मैंने स्वामी विवेकानंद की एक किताब उठा ली। उस किताब ने जिंदगी के प्रति मेरा नजरिया बदल दिया। एक दशक के बाद मैंने स्वैच्छिक सेवानिवृत्ति ले ली। और तब से आज तक संघर्ष ही चल रहा है⋯!''

□

विभिन्न प्रचार माध्यमों ने तुरंत इस आंदोलन की ओर लोगों का ध्यान खींचने में प्रमुख भूमिका निभाई। अन्ना हजारे के इस प्रयास का समर्थन करने के लिए हजारों की तादाद में लोग जमा हो गए। लगभग 150 लोग हजारे के उपवास में शामिल हो गए। उन्होंने यह घोषणा कर दी कि वे किसी भी राजनीतिज्ञ को इस आंदोलन में अपने साथ नहीं बैठने देंगे। उमा भारती और ओम प्रकाश चौटाला जैसे राजनीतिज्ञ जब वहाँ पहुँचे, जहाँ वह विरोध सभा चल रही थी तो विरोधकर्ताओं ने उन्हें वहाँ से धकियाकर भगा दिया। मेधा पाटेकर, अरविंद केजरीवाल और पूर्व आई.पी.एस. अधिकारी किरण बेदी, 'लोक सत्ता' के जयप्रकाश नारायण समेत अनेक सामाजिक कार्यकर्ताओं ने हजारे की भूख हड़ताल और भ्रष्टाचार विरोधी अभियान को अपना समर्थन दिया है।

बॉलीवुड ने भी इन विरोध-प्रदर्शनों का पूरा समर्थन किया। अनेक मशहूर अभिनेताओं, संगीतकारों और निर्देशकों ने इस आंदोलन और अन्ना हजारे के समर्थन में वक्तव्य दिए। निर्देशक फरहा खान, अभिनेता अनुपम खेर, संगीत निर्देशक विशाल, कवि व फिल्म निर्माता प्रीतीश नंदी और अभिनेता टॉम ऑल्टर ने जंतर-मंतर आकर आंदोलन के प्रति अपना समर्थन व्यक्त किया। इस बीच भारत के जाने-माने अभिनेताओं—आमिर खान, रितिक रोशन और अमिताभ बच्चन—ने सोशल नेटवर्किंग वेबसाइटों या मीडिया के जरिए आंदोलन के पक्ष में अपना समर्थन प्रकट किया। ऑस्कर विजेता भारतीय संगीतकार ए.आर. रहमान ने भी घूस-विरोधी आंदोलन के लिए अपना समर्थन घोषित किया। करीना कपूर, शबाना आजमी, शेखर कपूर, सुष्मिता सेन, बिपाशा बसु, शाहिद कपूर, रीतेश देशमुख, विवेक ओबराय, नेहा धूपिया, जैकी भगनानी, शिरीष कुंदेर, कैलाश खेर, पुनीत मल्होत्रा आदि सबने ट्वीटर पर अन्ना हजारे के लिए समर्थन व्यक्त किया, जिसके फलस्वरूप लोग इस आंदोलन से जुड़ते चले गए। मशहूर भारतीय चित्रकार एम.एफ. हुसैन (अब स्वर्गीय) ने भी अन्ना हजारे का एक कार्टून बनाकर अपना समर्थन जताया था। भारतीय प्रधानमंत्री ने जहाँ शिक्षा पाई है, उस कैंब्रिज यूनिवर्सिटी के भारतीय छात्रों ने भी आंदोलन के पक्ष में अपने विचार व्यक्त किए।

श्री श्री रविशंकर, स्वामी रामदेव और स्वामी अग्निवेश जैसे आध्यात्मिक गुरुओं के अलावा पूर्व भारतीय क्रिकेट खिलाड़ी कपिल देव और अनेक लब्ध-प्रतिष्ठ व्यक्तियों ने भी माइक्रो-ब्लॉगिंग साइट ट्वीटर के जरिए अपना समर्थन व्यक्त किया। भारत के अन्य नगरों के साथ-साथ बंगलुरु, मुंबई, चेन्नै और

अहमदाबाद में भी विरोध-प्रदर्शन किए गए।

आंदोलन आरंभ करने के एक दिन के अंदर ही 30,000 से अधिक लोगों ने जन लोकपाल बिल के लिए अपना समर्थन दर्ज कराया। 'इंडिया अगेंस्ट करप्शन' के आयोजकों ने बताया कि महाराष्ट्र से 30,000 लोगों ने उनकी वेबसाइट पर आंदोलन के पक्ष में अपना समर्थन व्यक्त किया है। एक सक्रिय फेसबुक पृष्ठ पर 60,000 से अधिक प्रशंसकों की सूची और ट्वीटर के जरिए अपने विचार प्रस्तुत करनेवाले 3,300 से अधिक समर्थकों को देखकर यह अवश्य महसूस होता है कि 'इंडिया अगेंस्ट करप्शन' आंदोलन पहले ही एक बड़ी सफलता का रूप ले चुका है। इस वेबसाइट पर अकेले मुंबई में 20,000 से अधिक सदस्यों के नाम हैं। 'इंडिया अगेंस्ट करप्शन' (अर्थात् भ्रष्टाचार के विरुद्ध भारत) की ओर से खोले गए फेसबुक पृष्ठ पर कुछ दिनों के अंदर ही समर्थकों की संख्या 1,50,000 से अधिक जा पहुँची। ट्वीटर और फेसबुक जैसी सोशल नेटवर्किंग वेबसाइटों पर राजनीतिक गतिविधि बहुत तेज हो गई थी। समर्थन जताने और भारी संख्या में लोगों को जुटाने के लिए वेबसाइटों पर विभिन्न समर्थन गुट, पृष्ठों और कार्यक्रमों का निर्माण किया गया। एक बार फिर वेब संसार और उसके सोशल नेटवर्किंग (सामाजिक जुड़ाव) के उपयोग के बीच समानताओं को एक ऐसे शक्तिशाली अस्त्र के रूप में देखा गया, जो सत्ता की बुनियादों को हिला सकता है।

'इकोनॉमिक टाइम्स' (9 अप्रैल, 2011) के अनुसार—''केवल 3 दिन के अंदर भारत में 79 नगरों में जगह-जगह मौजूद 8,26,000 अनन्य उपयोगकर्ताओं से कुल 44 लाख ट्वीट (संदेश) प्राप्त हुए। यह अन्ना हजारे और भ्रष्टाचार के विरुद्ध उनके धर्मयुद्ध के पक्ष में भारतवासियों द्वारा कंप्यूटर के जरिए सीधे-सीधे व्यक्त की गई भावनाओं का एक नमूना भर है। इनमें सर्वाधिक संख्या उन लोगों की है, जिनकी आयु 36 और 45 वर्ष के बीच है। फिर उनका नंबर आता है, जो 46 वर्ष से ऊपर के हैं। इस प्रभावशाली सूची में सर्वोच्च स्थान प्राप्त सात नगरों में मुंबई और दिल्ली के बाद आई.टी. नगर बंगलुरु का स्थान तीसरा है। यह बात नगर-आधारित वंगल सॉफ्टवेयर एंड सर्विसेज प्राइवेट लिमिटेड द्वारा 42,000 स्रोतों के आँकड़ों की त्वरित छानबीन किए जाने से प्रकाश में आई है।''

इस आंदोलन के फलस्वरूप 6 अप्रैल, 2011 को शरद पवार ने* मसौदा लोकपाल विधेयक, 2010 की समीक्षा के लिए गठित मंत्री-समूह से इस्तीफा दे

---

* ड्राफ्ट लोकपाल बिल 2010

दिया। 8 अप्रैल, 2011 को भारत सरकार ने आंदोलन की एक महत्त्वपूर्ण माँग आंशिक रूप से स्वीकार कर ली कि जन लोकपाल विधेयक का प्रारूप तैयार करने वाली समिति का अध्यक्ष किसी नागरिक कार्यकर्ता को बनाया जाए। लेकिन जब सरकार ने इस माँग को पूरा करने में यह कहकर अपनी असमर्थता जताई कि राजनीतिज्ञों द्वारा इसकी घोर आलोचना की जा रही है, आंदोलनकारी इस समझौता सूत्र के लिए सहमत हो गए कि अध्यक्ष किसी राजनीतिज्ञ को बना दिया जाए और किसी गैर-राजनीतिक व्यक्ति को सह-अध्यक्ष (को-चेयरमैन) बनाया जाए। उसके बाद यह सूचित किया गया कि मसौदा समिति के अध्यक्ष प्रणव मुखर्जी होंगे और शांति भूषण को सह-अध्यक्ष बनाया जाएगा।

जीत लिया युद्ध, संग्राम जारी

शनिवार (9 अप्रैल, 2011) को प्रातः 10.30 बजे सफलता का वह क्षण आया। सरकार को झुकने के लिए विवश करने और पूरे राष्ट्र का ध्यान अपनी ओर खींचने के बाद 72 वर्षीय क्षीणकाय अन्ना हजारे ने जल पीकर अपना व्रत तोड़ा। लेकिन पहले उन स्त्रियों को पानी दिया, जिन्होंने उनके साथ उपवास किया था। तत्पश्चात् अन्ना ने जूस पिया। जूस का गिलास पाँच वर्ष की बच्ची सौम्या कोहली ने उन्हें दिया, जो अपने पिता नीरज के साथ इस ऐतिहासिक आंदोलन को देखने के लिए आई थी। गांधी के आदर्शों पर चलनेवाले इस नेता ने जब अपना लंबा उपवास आंदोलन की शुरुआत के पाँचवें दिन सुबह तोड़ा तो उस समय वहाँ जमा समर्थकों की भारी भीड़ खुशी से नाच उठी। आंदोलन के आयोजन स्थल जंतर-मंतर पर और सैकड़ों लोगों के आने का ताँता लगा रहा। वे सब चाहते थे कि लोकपाल बिल का प्रारूप तैयार करने में सिविल सोसाइटी की भागीदारी अवश्य होनी चाहिए। नई दिल्ली में जंतर-मंतर पर जमा समर्थकों की भारी भीड़ की खुशी का ठिकाना नहीं था। कुछ ही पलों में भ्रष्टाचार के विरुद्ध युद्ध का मैदान बिलकुल एक नए रंग में बदल गया। अन्ना के शब्दों में 'राजनीतिक अराजकता पर विजय का जश्न' मनाने के लिए लोग खुशी से नाचने-गाने लगे। पटाखे छोड़े गए और लोगों ने एक-दूसरे के चेहरे पर गुलाल मलकर खुशी का इजहार किया।

हजारे ने एक संयुक्त समिति के गठन की आधिकारिक अधिसूचना की एक कॉपी हाथ ऊँचा करके भीड़ को दिखाते हुए कहा, ''भ्रष्टाचार की इस लड़ाई में भारत की जीत हुई है, अन्ना की नहीं। आपने साबित कर दिया है कि हम एक हैं। लेकिन यह लड़ाई जारी रहनी चाहिए। मैं इस जन-आंदोलन को मिटने नहीं

दूँगा। अगर सरकार मानसून सत्र में लोकसभा में यह बिल पास नहीं करती है तो मैं विरोध प्रकट करने के लिए राष्ट्रध्वज को कंधे पर उठाकर फिर निकल पड़ूँगा¨। मेरे एजेंडे पर अगला मुद्दा है—वापस बुलाने के अधिकार के लिए काम करना। मैं जानता हूँ, इस नए कानून के अमल में और भी अड़चनें आएँगी, क्योंकि इस बिल का उद्देश्य भ्रष्ट राजनीतिज्ञों एवं बड़े-बड़े अफसरों के विरुद्ध काररवाई और जवाबदेही सुनिश्चित करना है।''

अन्ना ने जब पूछा, ''क्या तुम मेरा साथ दोगे?'' तो जवाब में भीड़ ने 'हाँ' की गर्जना के साथ कहा, ''अन्ना तुम संघर्ष करो, हम तुम्हारे साथ हैं।'' इस अवसर पर अरविंद केजरीवाल के अलावा आर्च बिशप विंसेंट एम कॉ-सेसाओ, मेधा पाटेकर, स्वामी अग्निवेश और किरण बेदी भी मौजूद थीं। स्पष्ट है, जो कुछ भी सफलता उन्होंने हासिल की थी, उसकी खुशी में इस 72 वर्षीय गांधीवादी नेता ने अपने सामने जमा लोगों को अपने साथ राष्ट्रभक्ति के गीत गाने के लिए प्रेरित किया, जैसे कि 'रघुपति राघव राजा राम' और 'वंदे मातरम्'। उन्होंने चार दिनों से कुछ भी नहीं खाया था; लेकिन जिस ऊर्जा और उत्साह के साथ उन्होंने भीड़ को संबोधित किया, वह आह्लादित करनेवाली स्फूर्ति थी। जीत का जश्न मनाने के लिए जंतर-मंतर पर 10,000 से अधिक लोग जमा हो गए थे। सुबह से ही लोग झुंडों में आने शुरू हो गए थे। धीरे-धीरे भीड़ इतनी बढ़ गई कि जब अन्ना अपने साथ उपवास करनेवालों को जूस की बोतल देने और अंतत: अपना उपवास तोड़ने के लिए मंच पर आए तो वहाँ तनिक भी जगह नहीं बची थी। भीड़ को सँभालना मुश्किल हो रहा था। कुछ लोगों ने यज्ञ का आयोजन किया, जबकि अन्य लोग नाचने लगे।

चेतावनी स्पष्ट है और सभी के कानों में पहुँच गई है। यह एक उद्देश्य का उद्घोष है; क्योंकि हजारे ने जो बीड़ा उठाया है और उनके समर्थन में कई शहरों में जो हजारों लोग जुटे हैं, वे जान जाएँगे कि एक प्रभावी भ्रष्टाचार-विरोधी लोकपाल बिल के लिए उनके संघर्ष की यह अभी केवल शुरुआत है। इसके लिए अभी बातचीत का कठिन दौर चलेगा और इसके लिए संसद् का अनुमोदन प्राप्त करना होगा।

चार दिन की क्रांति के अभिप्रेतार्थ बहुत बड़े हैं। सरकारी दानव जिस तीव्रता से हजारे के सरल किंतु प्रभावशाली संदेश के सामने नतमस्तक हुआ, उसने कुछ ऐसे नियमों को बदल दिया, जो राजनीतिक वर्ग की दृष्टि में अपरिवर्तनीय थे। सत्ता के घमंड का सामना एक अप्रतिरोध्य शक्ति से हुआ। राजनीति और शासन का

व्याकरण दुबारा लिखे जाने के साथ यह बात सामने आएगी कि सिविल सोसाइटी के पश्चप्रभाव नीति-द्वार से अपना पाँव बाहर निकाल रहे हैं। विधि मंत्रालय की अधिसूचना ने गतिरोध को दूर करने में मदद की। लोकपाल बिल का मसौदा एक संयुक्त समिति द्वारा तैयार किए जाने संबंधी अधिसूचना जारी किए जाने के बारे में सरकार और सिविल सोसाइटी के बीच उत्पन्न गतिरोध उस समय टूटा, जब विधि मंत्रालय ने प्रधानमंत्री मनमोहन सिंह को यह परामर्श दिया कि इस तरह का एक रास्ता संभव है। शुक्रवार को प्रधानमंत्री को संबोधित एक पत्र में विधि मंत्री वीरप्पा मोइली ने कहा कि ''यद्यपि केंद्र में एक संयुक्त समिति के लिए किसी सरकारी आदेश का कोई पूर्वोदाहरण नहीं है, फिर भी इस पर विचार किया जा सकता है।''

शानदार समापन इंडिया गेट पर

भ्रष्टाचार के विरुद्ध चार दिन तक चले अनशन के बाद अब जश्न मनाने का समय था। शनिवार शाम को लोग बड़ी संख्या में इंडिया गेट पहुँचे और उन सबने एक साथ मोमबत्तियाँ जलाकर भ्रष्टाचार के विरुद्ध 'पहली विजय' की खुशी मनाई। उन्होंने कहा कि संघर्ष जारी रहेगा। शाम को 6 बजे इंडिया गेट हलचल से भरा हुआ था। लोगों के हाथों में राष्ट्र ध्वज था और वे पुरजोर आवाज में नारा लगा रहे थे कि 'यह हमारी जीत है'। वे हर व्यक्ति से यह भी कह रहे थे कि भ्रष्टाचार के विरुद्ध संघर्ष में सभी को शामिल होना चाहिए। हाथ में मोमबत्तियाँ पकड़े हुए और तिरंगा लहराते हुए लोगों ने राष्ट्रीय गीत गाया और देशभक्ति के गाने गाए। बड़ी संख्या में लोग अन्ना हजारे से मिलने और संघर्ष का नेतृत्व करने के लिए उन्हें बधाई देने आए थे। लेकिन उन्हें निराश लौटना पड़ा, क्योंकि स्वास्थ्य ठीक न होने के कारण अन्ना हजारे नहीं आ सके थे। मोमबत्तियों की जगमगाहट देखने के लिए अरविंद केजरीवाल और स्वामी अग्निवेश वहाँ मौजूद थे, जिन्होंने लोगों को आश्वस्त किया कि भ्रष्टाचार-मुक्त भारत के लिए संघर्ष अभी आरंभ हुआ है।

ताकतवर लोकपाल अपेक्षाकृत शीघ्र आने की संभावना

हालाँकि जंतर-मंतर की गर्जना को दोहराना शायद आसान नहीं होगा, क्योंकि आम आदमी के असाधारण आक्रोश ने विरोध को खतरनाक किनारे तक पहुँचा दिया था, फिर भी सिविल सोसाइटी की ओर से और कड़े तेवर दिखाने

की संभावना से इनकार नहीं किया जा सकता। अनिर्वाचित लोगों—और जैसाकि राजनीतिज्ञों की फुसफुसाहट से जाहिर है, निर्वाचित न किए जाने योग्य लोगों— पर चल रही बहस अपनी ताकत दिखाएगी। हालाँकि प्रचंड अप्रैल का अनुभव उल्लसित करने वाला है। महाराष्ट्र की केंद्रीय भूमि से आए गांधी टोपी पहने इस व्यक्ति ने लगता है, किसी तरह सरकारी निष्क्रियता पर एक उबाऊ दोषदर्शिता से आगे बढ़कर यह उम्मीद जगाई है कि परिस्थितियाँ बदल सकती हैं।

प्रधानमंत्री मनमोहन सिंह ने एक वक्तव्य में ''भ्रष्टाचार से लड़ने के हमारे पारस्परिक संकल्प में एक सहमति देखी है। भ्रष्टाचार की बला से सभी परेशान हैं। सरकार मानसून सत्र के दौरान संसद् में लोकपाल विधेयक पेश करने का इरादा रखती है। सिविल सोसाइटी और सरकार ने इस ऐतिहासिक कानून को लाने के लिए आपस में हाथ मिलाकर हमारे लोकतंत्र के लिए एक अच्छा संकेत दिया है।''

संसद् आंदोलनकर्ताओं के संकल्प की परीक्षा अवश्य लेगी, लेकिन यह बात भी निश्चित है—भारत को एक सशक्त लोकपाल अपेक्षाकृत शीघ्र मिलने वाला है। स्थायी समिति द्वारा बिल की जाँच की जाएगी और हो सकता है कि इस प्रक्रिया के चलते एक या दो समय-सीमाएँ निकल जाएँ। लेकिन लोक-शक्ति का प्रदर्शन संबंधित पक्षों एवं नेताओं को चौकन्ना रखेगा। सुशासन का बढ़ता महत्त्व ऐसे उदाहरणों व आदर्शों को और अधिक आकर्षक बना देगा। यदि बिहार के बाद विधानसभा चुनावों का वर्तमान दौर 'भ्रष्ट' लोगों को ठेंगा दिखा देता है तो संदेश दिमाग में घुसना शुरू हो जाएगा।

आंदोलन महान् समतावादी, अमीर-गरीब का अंतर मिटानेवाला

लंबी उदासीनता और 'इस देश का कुछ नहीं हो सकता' जैसे नजरिए के बाद सामाजिक जागरूकता और एक राजनीतिक सजगता का लोगों की सूझ-बूझ पर गहरा प्रभाव पड़ा। देखने-सुनने में भले ही अटपटा लगे, लेकिन सच यह है कि धनाढ्य वर्ग से आए जो आंदोलनकारी गुड़गाँव के गलेरिया बाजार में अन्ना के बैज बाँट रहे थे और जंतर-मंतर पर जो एक मितव्ययी गांधीवादी व्यक्ति अनशन पर बैठा था, उन दोनों में कोई अंतर नहीं रह गया था। वे एक ही धरातल पर थे। महात्मा दकियानूसी हो सकता है, लेकिन अन्ना हजारे के आंदोलन ने शहरी उच्च वर्ग से जुड़ने के लिए कुछेक सेतुओं का निर्माण करने में कोई कसर नहीं छोड़ी। पिछले पाँच दिनों में राजधानी के फैशनपरस्त लोगों को राजस्थान के कुरताधारी देहाती लोगों के साथ कंधा भिड़ाते हुए देखा गया। जंतर-मंतर मार्ग

और समीपवर्ती क्षेत्रों में लोगों से खचाखच भरे टैंपुओं के साथ-साथ बेशकीमती कारें भी ध्यान आकर्षित करने के लिए होड़ लगाए खड़ी हुई थीं।

घूस-विरोधी आंदोलन वास्तव में एक महान् समतावादी साबित हुआ है। यह उदाहरण देखें—दिल्ली के फैशनपरस्त लोगों से एक भावपूर्ण अपील करते हुए एक पोस्टर पर लिखा था—'यही जगह है जहाँ हमें होना चाहिए।' बड़ी संख्या में जमा लोगों की भीड़ ने नए युग के भारत के राजनीतिक दृष्टि से एक अत्यंत टिकाऊ काल्पनिक सच्चाई को खंडित कर दिखाया—मध्य वर्ग राजनीति और चुनावों की परवाह नहीं करता है।

घूसखोरी के विरुद्ध प्रदर्शन स्थल पर अनेक लोग कतार लगाकर खड़े हो गए। वे बारी-बारी से 'व्यवस्था' के विरुद्ध अपनी कुंठा व्यक्त कर रहे थे। इतना ही नहीं, सोशल नेटवर्किंग साइटों पर भी समय-समय पर उनकी डाँट-फटकार का सिलसिला आगे चलता रहा। सरकार को कड़े शब्दों में यह याद दिलाने के लिए वे सड़कों पर उतर आए कि अगर बड़े पैमाने पर व्याप्त भ्रष्टाचार को नष्ट करने में कोई कोताही बरती गई तो उसे कभी भी सत्ता से हटाया जा सकता है। युवा पीढ़ी ने उपभोक्तावाद के संतापों और अपने वातानुकूलित कार्यालयों से बाहर आकर हर शाम स्वेच्छापूर्वक मोमबत्तियाँ जलाकर खुशी का इजहार किया और 'यह देश है वीर जवानों का' जैसे लोकप्रिय देशभक्ति पूर्ण गाने गाकर वातावरण को गुंजायमान किया।

चुनाव सुधारों के बारे में अन्ना का कार्यक्रम

शनिवार की सुबह अपना व्रत तोड़ने के बाद अन्ना हजारे ने कहा कि उन्होंने कभी यह अपेक्षा नहीं की थी कि उनके आंदोलन को इतनी जबरदस्त लोकप्रियता मिलेगी। शनिवार को वे निर्जलीकरण का शिकार हो गए—अर्थात् उनके अंदर पानी की कमी हो गई और जूस तथा कुछ चावल लेने के बावजूद उनकी हालत बिगड़ती चली गई। उनकी देखभाल करनेवाले डॉक्टरों ने बताया कि उनका रक्तचाप 190/100 एम.एम.एच.जी. तक पहुँच गया है और उन्हें बहुत अधिक न बोलने की सलाह दी गई है। इस गांधीवादी नेता ने लोगों से कहा कि अगले कुछ महीनों में वे भिन्न-भिन्न राज्यों का दौरा करेंगे और चुनाव सुधारों समेत विभिन्न मसलों पर समर्थन जुटाने के लिए सभाएँ आयोजित करेंगे।

उन्होंने कहा, ''इसके बाद मैं 'वापस बुलाने के अधिकार' के लिए काम करूँगा, जिससे लोगों को यह हक मिल जाएगा कि वे निष्क्रिय निगम पार्षदों और

ग्राम पंचायत प्रधानों को वापस बुला सकें।'' अन्ना ने भ्रष्टाचार के विरुद्ध आंदोलन तथा अन्य सामाजिक मुद्दों को लेकर अभियानों का नेतृत्व करने के लिए एक राष्ट्रीय संगठन बनाने का भी संकेत दिया। उन्होंने दावा किया कि इलेक्ट्रॉनिक वोटिंग मशीनें (ई.वी.एम.) टैंपर-प्रूफ, अर्थात् छेड़खानी न किए जा सकने योग्य नहीं हैं—''मैंने इसके बारे में कई बार सरकार को लिखा है और उसकी प्रतिक्रिया सकारात्मक रही है। उन्हें या तो वर्तमान प्रौद्योगिकी में सुधार करना चाहिए अथवा प्रणाली बदल देनी चाहिए।'' उन्होंने कहा। उनका विचार यह भी था कि निर्वाचन आयोग को मतदान अधिकारों के लिए एक ऐसी नई धारा जोड़नी चाहिए, जिसके तहत मतदाता, यदि चाहे तो, प्रत्याशी से खुश न होने की स्थिति में 'कोई योग्य नहीं' का विकल्प चुन सके। अन्ना ने कहा, ''अगर इस श्रेणी के पक्ष में अधिक मत पड़ते हैं तो चुनाव रद्द कर दिया जाना चाहिए।'' उन्होंने यह भी भी कहा, ''वे घूस देते हैं तो देने दो और जितना भी पैसा वे खर्च कर सकते हैं तो करने दो। अगर आप अपनी आत्मा के प्रति ईमानदार रहते हैं तो वे भी आपका अनुसरण करने लगेंगे।''

अच्छे उद्देश्य के लिए उन्होंने सही व्यवहार किया

आमतौर पर यदि कई हजार लोग कुछ हजार वर्गमीटर की जगह में ठसाठस भरे हों तो धक्का-मुक्की होने, जेबकतरों की बन आने और बुरे बरताव का माहौल बन जाना एक सामान्य बात हो जाती है। लेकिन जन लोकपाल बिल आंदोलन के चलते ऐसा कुछ नहीं हुआ। अन्ना के पाँच दिनों के अनशन के दौरान दिल्लीवालों ने अपने श्रेष्ठतम व्यवहार का परिचय दिया। वहाँ जोश एवं उत्साह था, लेकिन अक्खड़पन नहीं था। कंधे से कंधा भिड़ा होने के बावजूद छेड़खानी और दुर्व्यवहार की कोई घटना नहीं हुई, जबकि दिल्ली इन घटनाओं के लिए बदनाम है। व्यापार मेला हो या नए साल की पार्टी, घटिया हरकतों के कारण दिल्ली का नाम खराब होता है। आदेशों की अवहेलना के लिए कुख्यात दिल्लीवासियों ने 'आमरण अनशन' के मंच से लगाई गई गुहारों का उसी तरह पालन किया जैसे घड़ी अपना काम करती है। जब उनसे बैठने के लिए कहा गया, वे चुपचाप बैठ गए और पंजीकरण डेस्क पर अपनी बारी के लिए धैर्यपूर्वक प्रतीक्षा करते रहे, यहाँ तक कि उन्हें 'पहले आप' कहते हुए भी देखा गया; जबकि अन्य अवसरों पर ऐसे उदाहरण कम ही सामने आते हैं।

युवा कार्यकर्ताओं ने जोड़ों के दर्द से पीड़ित वृद्धजन को सभी तरफ से

पकड़-पकड़कर जमीन से हटाया और जब कभी लोगों को कहा जाता कि वे भूख हड़ताल पर बैठे लोगों का ध्यान रखें और उन्हें ताजा हवा लेने दें, तब-तब जलती मोमबत्ती हाथ में लिये प्रयाण करनेवाले मंच से दूर हट जाते। जो लोग बैठे हुए थे, वे स्थान की कमी का ध्यान रखते हुए और लोगों को जगह देने की खातिर थोड़ा इधर-उधर सरक जाते। प्रत्येक शाम जब मंच पर प्रतिभा-प्रदर्शन का कोई कार्यक्रम प्रस्तुत किया जाता, तब माहौल मस्त कर देनेवाले संगीत कार्यक्रम (रॉक कंसर्ट) जैसा हो जाता—मदमस्त लड़ाई-झगड़ों के बिना। घोषणा करनेवाले लोग भी समय-समय याद दिलाते रहते कि ऐसे किसी उद्देश्य के लिए संयम बनाए रखना और सद्व्यवहार करना बहुत महत्त्व रखता है। इस बात की भी बराबर हिदायत दी जाती रही कि जंतर-मंतर पर कूड़ा-करकट न फैलाएँ—और आखिरी दिन तक लोगों ने इसका पालन किया, जब वहाँ जश्न मनाया गया।

आंदोलन के बाद मशाल सामाजिक प्रचार-माध्यम के हाथ में

फेसबुक, ट्वीटर, यूट्यूब, एस.एम.एस. अभियान और जनसंचार माध्यमों द्वारा लगातार रिपोर्ट देते रहने का ही नतीजा था कि अन्ना हजारे द्वारा भ्रष्टाचार के विरुद्ध चलाए गए अभियान को इतनी भारी सफलता प्राप्त हुई। विमुख रहनेवाले या बोलने में कंजूसी करनेवाले नवयुवकों तथा मध्य वर्ग के लोगों द्वारा इस आंदोलन में भारी तादाद में हिस्सा लेने के पीछे भी यही कारण था। आंदोलन के योजना-रचयिता अरविंद केजरीवाल ने 'टाइम्स ऑफ इंडिया' से बात करते हुए कहा, "इस विषय को जिंदा रखने के लिए हम सामाजिक प्रचार-माध्यम (सोशल मीडिया) का उपयोग करेंगे। हम फेसबुक पर अपने मित्रों और जिन्होंने मोबाइल के जरिए अपने नाम दर्ज कराए हैं, उनको भी पल-पल की खबर देते रहेंगे तथा समिति के अन्य सदस्यों एवं सरकार के नुमाइंदों के साथ बैठकों में हुई चर्चा का ब्योरा उन्हें देते रहेंगे। उनकी जो राय होगी, उसपर भी विचार किया जाएगा।"

केजरीवाल उन पाँच सदस्यों में से एक हैं, जिन्हें अन्ना हजारे ने सरकार द्वारा नियुक्त मंत्रियों के साथ परामर्श से लोकपाल बिल का प्रारूप पुनः तैयार करने के लिए चुना है। उन्होंने कहा कि गजट अधिसूचना तो शुरुआत है और बिल का अंतिम रूप से कार्यान्वयन जनता के निरंतर समर्थन एवं सहयोग के बिना संभव नहीं होगा। केजरीवाल ने यह भी बताया कि जब अन्ना हजारे ने आमरण अनशन करने का निश्चय किया, उन्होंने तब यह कभी नहीं सोचा था कि उन्हें इतना

व्यापक जन-समर्थन प्राप्त होगा—''पहले दो दिन तक हमारे पास स्वयंसेवकों की सीमित संख्या थी और जन-समर्थन भी बढ़ रहा था। लेकिन फेसबुक और एस.एम.एस. अभियान के चलते देश के विभिन्न भागों और विदेश में रह रहे लाखों लोग भी इस आंदोलन से जुड़ गए। और सबसे बड़ी बात तो यह थी कि यहाँ जो भी व्यक्ति आया, वह एक अच्छे उद्देश्य के लिए किए जा रहे आंदोलन का समर्थन करने के लिए आया था, इसलिए नहीं कि हमसे या हमारे संगठन से उसका कोई संबंध था। अगर यह आंदोलन किसी संगठन द्वारा बुलाया गया होता तो मैं नहीं समझता कि तब भी इतना ही व्यापक जन-समर्थन मिला होता। ये सभी अच्छे कारण को लेकर हमारे मददगार बने।'' केजरीवाल ने कहा।

मुख्य बात है अहिंसा

भ्रष्टाचार-विरोधी बिल का प्रारूप तैयार करने में लोगों के अधिकाधिक समर्थन के आधार पर सरकार की मंजूरी प्राप्त करने में अन्ना हजारे की विजय से यह आशा और बढ़ गई है कि नक्सल समस्या का शांतिपूर्ण समाधान हो सकता है। मध्यस्थ बनकर बातचीत करनेवाले सामाजिक कार्यकर्ता स्वामी अग्निवेश ने माओवादियों से आग्रह किया कि वे हिंसा का रास्ता त्याग दें और सरकारी उदासीनता के विरुद्ध लड़ने के लिए गांधीवादी सिद्धांतों को अपनाएँ। अग्निवेश ने कहा, ''अन्ना का जन-आंदोलन एक मिसाल बनकर रहेगा। अगर आप हिंसा का रास्ता छोड़ दें और विरोध करने के लिए गांधी के सिद्धांतों पर चलें तो देश आपके उद्देश्य का समर्थन करेगा। आपको अन्नाजी से सबक लेना चाहिए।''

अग्निवेश को करीब एक वर्ष पहले माओवादियों और सरकार के बीच बातचीत के लिए एक मध्यस्थ के रूप में नियुक्त किया गया था। उन्होंने कहा, ''गृह मंत्री ने मुझसे एक दूत के रूप में काम करने और एक शांतिपूर्ण समाधान तलाशने में उनकी सहायता करने का अनुरोध किया। मैंने सरकार से विद्रोह के खिलाफ सशस्त्र बल का प्रयोग बंद करने के लिए कहा है। और आज मैं नक्सल भाइयों और बहनों से आग्रह करता हूँ कि वे सशस्त्र संघर्ष का रास्ता छोड़ दें, क्योंकि लोगों की हत्या करने से किसी का भला नहीं होता है। विकास के लाभों से वंचित रखे गए गरीबों, आदिवासी लोगों को जन-समर्थन न मिलने के पीछे यह भी एक प्रमुख कारण है।'' अग्निवेश ने कहा कि वे माओवादियों द्वारा हिंसा का रास्ता अपनाए जाने का समर्थन नहीं करते हैं और उसे वे पूरी तरह गलत एवं भर्त्सनीय मानते हैं। ''आप बंदूक की नोक पर क्रांति नहीं ला सकते।'' उन्होंने कहा।

विरोध कार्यक्रम की समय-रेखा

13 मार्च, 2011

- दिल्ली-वासियों की एक टोली ने सफेद कमीजें और टी-शर्ट पहनकर एक गाड़ी में 4 घंटे तक शहर का चक्कर लगाया और भ्रष्टाचार के विरुद्ध अभियान तथा जन लोकपाल बिल के लिए समर्थन जुटाने का जोर-शोर से प्रयास किया।

28 मार्च, 2011

- उस दिन विश्व भर में आयोजित विरोध-प्रदर्शनों के आयोजकों के अनुसार—''यू.एस.ए. में सबसे अधिक 45 नगरों, भारत में 40 नगरों तथा विश्व में 8 अन्य देशों ने भ्रष्टाचार-विरोधी आंदोलन में हिस्सा लिया। विश्व भर में, नागपुर से न्यू जर्सी तक और सिडनी से लेकर सिएटॅल में रह रहे भारतीयों ने एक स्वर में 'जन लोकपाल बिल' को कानून बनाने की आवाज बुलंद की और भ्रष्टाचार के विरुद्ध संयुक्त राष्ट्र समझौते (यू.एन. कॅन्वेंशन) की पुष्टि करने का आग्रह किया।''
- अनेक प्रयाणकर्ता (मार्चर्स) 5 अप्रैल को इसी उद्देश्य के लिए दिल्ली में अन्ना हजारे के उपवास में शामिल होकर आंदोलन को जारी रखने की योजना बना रहे थे।

4 अप्रैल, 2011

- भ्रष्टाचारी-विरोधी सक्रिय नेता अन्ना हजारे ने घोषणा कर दी कि वे जन लोकपाल बिल पारित होने तक आमरण अनशन करेंगे।

5 अप्रैल, 2011

- अन्ना हजारे ने दिल्ली में जंतर-मंतर पर अपना आमरण अनशन आरंभ कर दिया।
- लगभग 6,000 मुंबईवासियों ने जन लोकपाल बिल लागू करने की माँग को लेकर अन्ना हजारे के साथ एक दिन का व्रत रखा।
- पुणे में 6,000 से अधिक निवासियों ने अभियान में हिस्सा लिया।
- गुरुवार को बंगलुरु का फ्रीडम पार्क सभी के लिए आकर्षण का केंद्र

बना रहा, क्योंकि बंगलुरु में रह रहे हर तबके के लोग अन्ना हजारे के समर्थन में वहाँ इकट्ठा हो रहे थे।

7 अप्रैल, 2011

- सरकार के साथ बातचीत के दो दौर निष्फल साबित हुए।
- अन्ना हजारे ने अपना अनशन जारी रखा।
- भारतीय राष्ट्रीय कांग्रेस पार्टी की अध्यक्ष और राष्ट्रीय सलाहकार परिषद् की प्रमुख सोनिया गांधी ने अन्ना हजारे से अपना अनशन समाप्त करने की अपील की।

8 अप्रैल, 2001

- विरोध के स्वर मुंबई, कोलकाता, हैदराबाद, बंगलुरु, चेन्नै, पटना, भोपाल, अहमदाबाद, राँची, पुणे, नासिक और कोच्ची में भी मुखरित हो उठे।
- जम्मू में जम्मू विश्वविद्यालय के अलावा तिरुअनंतपुरम, गुवाहाटी और जयपुर में भी विरोध-प्रदर्शनों का आयोजन किया गया।
- कार्यकर्ताओं के साथ सरकार इस बात को लेकर 'तू-तू, मैं-मैं' करने में लगी रही कि बिल-प्रारूपण समिति सिविल सोसाइटी के किसी सदस्य के बजाय सरकार द्वारा नियुक्त किसी मंत्री के अधीन होनी चाहिए, जबकि आंदोलनकर्ता इस माँग पर अड़े हुए थे कि सरकार को किसी भी हालत में बिल की ताकत कम करने की छूट न दी जाए।
- प्रधानमंत्री मनमोहन सिंह ने राष्ट्रपति से भेंट की और उन्हें जनता की माँगों के बारे में सरकार द्वारा उठाए जा रहे कदमों से अवगत कराया।
- अनशन पर बैठे अन्ना हजारे के 15 समर्थकों को अस्पताल में भरती कराया गया।
- बॉलीवुड ने भी विरोध-प्रदर्शनों का पूरा समर्थन किया। प्रसिद्ध अभिनेताओं, संगीतकारों एवं निर्देशकों ने आंदोलन और अन्ना हजारे के समर्थन में अपने विचार प्रकट किए। निर्देशक फराह खान, अभिनेता अनुपम खेर, संगीत निर्देशक विशाल डडलानी, कवि व फिल्म-निर्माता प्रीतीश नंदी और टॉम ऑल्टर अपना समर्थन जताने जंतर-मंतर गए। इस बीच सभी सुप्रसिद्ध भारतीय अभिनेताओं—आमिर खान, रितिक रोशन और अमिताभ

बच्चन—ने सोशल नेटवर्किंग वेबसाइटों या प्रचार माध्यम के जरिए आंदोलन के प्रति अपना समर्थन व्यक्त किया। ऑस्कर विजेता ए.आर. रहमान ने भी भ्रष्टाचार-विरोधी आंदोलन के पक्ष में अपने समर्थन की घोषणा की। करीना कपूर, शबाना आजमी, शेखर कपूर, सुष्मिता सेन, बिपाशा बसु, शाहिद कपूर, रीतेश देशमुख, विवेक ओबराय, नेहा धूपिया, जैकी भगनानी, शिरीष कुंदेर, कैलाश खेर, पुनीत मल्होत्रा आदि सभी ने अन्ना हजारे के समर्थन में अपनी-अपनी बात रखी, जिसके फलस्वरूप आंदोलन में हिस्सा लेने के लिए लोगों का जोश और भी बढ़ गया।

- मशहूर चित्रकार एम.एफ. हुसैन ने अन्ना हजारे का एक कार्टून बनाकर अपना समर्थन जताया।
- भारत के प्रधानमंत्री के पूर्व विश्वविद्यालय कैंब्रिज यूनिवर्सिटी में भारतीय छात्रों ने भी आंदोलन के प्रति अपना समर्थन व्यक्त किया।
- सरकारी एजेंसियों और विभिन्न बड़ी-बड़ी कंपनियों से अनेक जाने-माने लोगों ने आंदोलन का समर्थन किया। उनमें से कुछ इस प्रकार हैं—दिल्ली मेट्रो के प्रमुख ई. श्रीधरन, पुंज लॉइड चेयरमैन अतुल पुंज, मारुति सुजुकी के चेयरमैन आर.सी. भार्गव, हीरो ग्रुप के सुनील मुंजाल, टाटा स्टील के वाइस-चेयरमैन बी. मुथुरमन, बजाज ऑटो के चेयरमैन राहुल बजाज, गोदरेज ग्रुप प्रधान आदि गोदरेज, बायोकॉन चेयरमैन एवं मैनेजिंग डायरेक्टर किरण मजूमदार शॉ और कोटक महिंद्रा बैंक के वाइस चेयरमैन एवं मैनेजिंग डायरेक्टर उदय कोटक। इन सभी ने अन्ना हजारे और उनके आंदोलन के लिए अपने समर्थन की घोषणा की।
- एसोचैम अध्यक्ष दिलीप मोदी और फिक्की के महानिदेशक राजीव कुमार दोनों ने आंदोलन के समर्थन में अपने विचार प्रकट किए।
- भारत सरकार ने समझौते का यह सूत्र मान लिया कि एक राजनीतिज्ञ चेयरमैन (यानी अध्यक्ष) होगा और एक कार्यकर्ता, गैर-राजनीतिक 'को-चेयरमैन' (अर्थात् सह-अध्यक्ष) होगा। यह बताया गया कि प्रणव मुखर्जी प्रारूप समिति के अध्यक्ष होंगे और शांति भूषण सह-अध्यक्ष।

9 अप्रैल, 2011

- अन्ना हजारे की सभी माँगें स्वीकार करने के बाद भारत सरकार ने एक आधिकारिक गजट अधिसूचना जारी की, जिसमें कहा गया था कि जन लोकपाल विधेयक का प्रारूप तैयार किया जाएगा और इसे आगामी लोकसभा सत्र में पेश किया जाएगा।

- इसके बाद पूरे देश में आंदोलन के केंद्र जंतर-मंतर से लेकर जम्मू, मुंबई, नागपुर, चेन्नै, कोलकाता, इलाहाबाद और अन्ना हजारे के गाँव में भी 'विजयोल्लास' मनाया गया।

- बॉलीवुड ने अन्ना हजारे की सफलता पर खुशी का इजहार करते हुए एक बार फिर कहा कि वे आंदोलन के साथ हैं और भारत की जनता इस आंदोलन का समर्थन करती है।

- अनशनकर्ताओं और आंदोलन के नेताओं दोनों का यह कहना था कि बिल को पूरी तरह पारित कराने का रास्ता अभी भी एक कठिन रास्ता है और आंदोलन को आगे मुश्किल दिनों का सामना करना है।

- यह आंदोलन भारत में सिविल सोसाइटी की शक्ति का एक प्रतीक बन गया है। भारतीय जन-संचार माध्यम द्वारा व्यापक रूप से प्रसारित किए जाने और लगभग प्रत्येक भारतीय नागरिक द्वारा आंदोलन का बड़े पैमाने पर समर्थन किए जाने के लिए (क्योंकि भ्रष्टाचार का विषय एक ऐसा विषय है, जिसके बारे में हर भारतीय नकारात्मक विचार रखता है) आंदोलन को भारत के जन-समूहों की दृष्टि में एक हद तक विश्वसनीयता प्राप्त हो गई है।

- इसकी विशिष्टता इस सच्चाई में है कि यह आंदोलन पूर्णतया गैर-राजनीतिक था। यह सिर्फ जनता का आंदोलन था। इसने देश में गड़बड़ी नहीं फैलाई, जबकि राजनीतिक पार्टियाँ सारा कामकाज ठप करा देती हैं। और यह आंदोलन सरकार को झुकाने में सफल रहा— भारत के लिए यह कुछ नई बात है।

- अनेक टिप्पणीकारों ने इस आंदोलन को भारत के लिए 'जागृति' का नाम दिया है।

- इस बीच सोशल नेटवर्किंग चैटर ऐसी आशंकाओं से भर गया है कि भारतीय फिर एक बार समय के साथ वापस 'नींद' में चले जाएँगे।

विधेयक प्रारूपण समिति (ड्रॉफ्टिंग कमेटी ऑफ द बिल)

जन-लोकपाल बिल की ड्रॉफ्टिंग कमेटी के 10 सदस्यों को राजनीतिज्ञों और सिविल सोसाइटी के सदस्यों दोनों का बराबर प्रतिनिधित्व प्राप्त होगा। 8 अप्रैल, 2011 को विधि एवं न्याय मंत्रालय ने बिल का प्रारूप तैयार करनेवाली संयुक्त समिति के बारे में एक आधिकारिक अधिसूचना भारत के राजपत्र में जारी की। अधिसूचना की एक प्रति यहाँ देखी जा सकती है—

अध्यक्ष

भारत सरकार ने यह स्वीकार कर लिया कि एक राजनीतिज्ञ अध्यक्ष (चेयरमैन) होगा और एक सक्रिय कार्यकर्ता, अराजनीतिक व्यक्ति सह-अध्यक्ष (को-चेयरमैन) होगा। यह सूचित किया गया है कि राजनीतिक क्षेत्र से प्रणव मुखर्जी और सिविल सोसाइटी से शांति भूषण प्रारूपण समिति के सह-अध्यक्ष अर्थात् को-चेयरमैन होंगे।

सरकारी प्रतिनिधित्व

प्रारूपण समिति में पाँच कैबिनेट मंत्री शामिल होंगे। उनके नाम इस प्रकार हैं—प्रणव मुखर्जी, भारत के वित्त मंत्री, सह-अध्यक्ष (शांति भूषण के साथ); पी. चिदंबरम, गृहमंत्री, पैनल सदस्य; वीरप्पा मोइली, विधि एवं न्याय मंत्री, पैनल सदस्य; कपिल सिब्बल, संचार एवं सूचना प्रौद्योगिकी मंत्री, पैनल सदस्य; सलमान खुर्शीद, जल संसाधन मंत्री, पैनल सदस्य।

सिविल सोसाइटी का प्रतिनिधित्व

पाँच प्रमुख समाजवादी प्रारूपण समिति में शामिल रहेंगे। उनके नाम इस प्रकार हैं—शांति भूषण, पूर्व विधि एवं न्याय मंत्री, सह-अध्यक्ष (प्रणव मुखर्जी के साथ); अन्ना हजारे, सामाजिक कार्यकर्ता; पैनल सदस्य—प्रशांत भूषण, वकील; एन. संतोष हेगड़े, लोकायुक्त (कर्नाटक); अरविंद केजरीवाल, आर.टी.आई. कार्यकर्ता।

पैनल का कार्य पारदर्शी होगा

अन्ना हजारे ने कड़े शब्दों में सुझाव दिया है कि संयुक्त समिति जब 16 अप्रैल से लोकपाल विधेयक का प्रारूप तैयार करने की प्रक्रिया आरंभ करे तो

उसकी कारवाई की वीडियो रिकॉर्डिंग की जानी चाहिए। "उन लोगों से कुछ भी छिपाया नहीं जाना चाहिए, जिनके भरपूर समर्थन के कारण ही संयुक्त समिति का गठन हो पाया। मैं भी चाहता हूँ कि बिल को कानून का रूप दिए जाने तक और प्रस्तावित लोकपाल का चयन किए जाने के दौरान भी पूरी पारदर्शिता बरती जाए।" अन्ना ने 10 अप्रैल, 2011 को एक प्रेस सम्मेलन में कहा।

उन्होंने स्पष्ट किया कि अनशन पर जाने का फैसला इसलिए किया, क्योंकि लोकपाल का मसला 42 वर्षों से लटका हुआ है। उन्होंने कहा, "अब तक आठ बार लोकपाल विधेयक संसद् में पेश किया जा चुका है, लेकिन कुछ नहीं हुआ। अब कुछ लोग कहते हैं कि यह ब्लैकमेल है। मैं जब तक जीवित हूँ, ऐसा ही ब्लैकमेल करता रहूँगा; क्योंकि यह लोगों की भलाई के लिए है।" हजारे ने बताया, उन्हें विश्वास है कि ड्रॉफ्टिंग कमेटी, जिसमें पाँच वरिष्ठ मंत्री और पाँच सिविल सोसाइटी सदस्य हैं, बिल का मसौदा तैयार करते समय सर्वसम्मति के सिद्धांत का पालन करेगी। "सरकार ने यह बिल 30 जून तक संसद् में प्रस्तुत करने का वचन दिया है। अगर एक उचित समय-सीमा के अंदर इसे कानून नहीं बनाया जाता है तो हम फिर आंदोलन के रास्ते पर चल पड़ेंगे।" उन्होंने 15 अगस्त की आखिरी तारीख का हवाला देते हुए कहा।

सरकार झुकी सामान्य जन-शक्ति के आगे

बी. रमन, पूर्व अतिरिक्त सचिव (भारत सरकार) और संप्रति, निदेशक, उष्ण-कटिबंधीय अध्ययन संस्थान (चेन्नै) ने 'आउटलुक' पत्रिका (9 अप्रैल, 2011) में लिखा है—"यदि कोई एक व्यक्ति है, जिसे सामाजिक कार्यकर्ता अन्ना हजारे द्वारा भ्रष्टाचार के विरुद्ध चलाए गए राष्ट्रीय आंदोलन के परिणामस्वरूप साधारण लोक-शक्ति की सफलता के लिए दोष दिया जा सकता है तो वह व्यक्ति निश्चय ही हमारे प्रधानमंत्री डॉ. मनमोहन सिंह हो सकते हैं। उनकी सरकार पर, पिछले वर्ष के मध्य से, भ्रष्टाचार के अनेक गंभीर आरोप लगने लगे थे, जिनमें से कुछ सही हैं और कुछ अभी तक जाँच के अधीन हैं। भ्रष्टाचार के इन बड़े उदाहरणों का खुलासा इलेक्ट्रॉनिक मीडिया द्वारा किया गया और तब ऐसी उच्च कोटि के नेतृत्व एवं ऐसी कुशल सूचना-व्यवस्था की अपेक्षा की गई, जिससे लोगों को विश्वास दिलाया जा सके कि इन सभी आरोपों को बड़ी गंभीरता से लिया जा रहा है और उनकी पूरी तरह जाँच की जाएगी तथा दोषी पाए गए लोगों के विरुद्ध कारवाई की जाएगी, इस बात का विचार किए बिना कि सार्वजनिक जीवन

में वे कितना ऊँचा स्थान रखते हैं और प्रधानमंत्री के पद पर उनके बने रहने का परिणाम क्या होगा तथा जिस गठबंधन सरकार का वे नेतृत्व कर रहे हैं, उसके स्थायित्व एवं मजबूती का क्या होगा।''

वे आगे कहते हैं, ''ऐसा करने के बजाय उन्होंने इन आरोपों के बारे में काररवाई करने में बड़ी हिचकिचाहट दिखाई, जिससे ऐसा प्रतीत होता है कि वे देश की जनता के प्रति गंभीर नहीं हैं। जाँच को तेज गति से आगे बढ़ाने के बजाय प्रपत्र के अनुरूप (यानी नियमों की लकीर पीटते हुए) लेने-देने का संदिग्ध प्रयास किया गया और गलत काम करनेवालों के विरुद्ध तभी कदम उठाया गया, जब जन-आंदोलन ने ऐसा करने के लिए बाध्य कर दिया। जो कुछ भी गलत हुआ, उसकी जिम्मेदारी स्वीकार करते हुए इस भयंकर बीमारी को समूल नष्ट करने के अपने दृढ़ संकल्प को दोहराने के बजाय उन्होंने गठबंधन की राजनीति की मजबूरी एवं बाध्यताओं को दोष दिया और जनता को यह संकेत दिया कि वह कमजोर एवं असहाय हैं। राष्ट्र को इस तरह की स्थिति में एक ऐसे संयमित एवं साहसी कप्तान की आवश्यकता थी, जो शासन के पोत को भ्रष्टाचार के हिमशैल से टकराने के बाद सँभाल सके। ऐसे कप्तान के बजाय, शासन के पोत का नियंत्रण एक ऐसे अकुशल नाविक के हाथों में था, जो शायद नहीं जानता कि पोत का संचालन कैसे किया जाता है!''

बी. रमन लिखते हैं—''जनता पूरी तरह चकित थी, भ्रम में पड़ी हुई थी। वह नहीं जानती थी कि क्या हो रहा है; क्योंकि एक के बाद एक भ्रष्टाचार के गंभीर आरोपों की खबरें न्यूज चैनलों से आ रही थीं। मामलों के असल तथ्यों के बारे में सही जानकारी से जनता को अवगत कराने तथा उसके चकनाचूर हो चुके विश्वास को अपने प्रशासन में बहाल करने के उद्देश्य से जनता के सम्मुख सीधी बातचीत करने और अपने नीति-सलाहकारों तथा मीडिया प्रबंधकों के जरिए सारी स्थिति स्पष्ट करने के बजाय, उन्होंने प्रधानमंत्री कार्यालय की चारदीवारी में स्वयं को समेट लिया और जनता तथा जनसंचार माध्यम के सामने आने से परहेज किया। हर कोई चाहता था कि वे टी.वी. और रेडियो के माध्यम से जनता को संबोधित करें तथा सरकार में लोगों का विश्वास पुनः कायम करें। हर कोई सोचता होगा कि वे जल्दी-जल्दी मीडिया के सामने आएँगे और अधिक प्रभावपूर्ण ढंग से, अधिक पारदर्शिता के साथ अपना पक्ष प्रस्तुत कर अपनी एवं अपनी सरकार की विश्वसनीयता पुनः प्राप्त करेंगे। ऐसा करने के बजाय उन्होंने मीडिया के साथ बातचीत से मुँह फेर लिया और अपना यह महत्त्वपूर्ण काम अपने उन मंत्रियों पर

छोड़ दिया, जिनकी वरिष्ठता एवं विश्वसनीयता में भिन्नता थी। उनके मीडिया प्रबंधक मीडिया के साथ बातचीत को सुगम बनाने में सहायक होने का कार्य करने के बजाय स्वयं को मीडिया के साथ उनकी बातचीत का नियंत्रक मानने लगे। उन्हें साहस के साथ मीडिया तथा जनता का सामना करने के लिए प्रोत्साहित करने के बजाय, उनको उन्होंने मीडिया तथा जनता के सामने कोई भी अनावश्यक एवं अनुपयुक्त टिप्पणी करने से बचाया।''

''...भ्रष्टाचार और अक्षमता के अनेकानेक उदाहरणों के एकत्रित प्रभाव का ही नतीजा था कि प्रधानमंत्री की विश्वसनीयता कमजोर होती चली गई, सरकार और जनता के बीच विश्वास के अभाव की खाई बढ़ती गई और बेलगाम भ्रष्टाचार तथा उससे निपटने में प्रधानमंत्री की प्रकट असमर्थता पर आक्रोश एवं खीझ बरदाश्त के बाहर हो गई। ऐसी अस्त-व्यस्त स्थिति में अन्ना हजारे की अगुवाई में गैर-सरकारी कार्यकर्ताओं का एक समूह आगे आया, जिनका जनसाधारण के पनपते वर्गों, विशेषकर नवयुवकों ने, लोगों को भ्रष्टाचार और अक्षमता से मुक्ति दिलानेवालों के रूप में भारी स्वागत किया। उस टोली के सदस्यों ने भ्रष्टाचार से निपटने के लिए एक स्वतंत्र संस्थागत तंत्र स्थापित करने हेतु 40 वर्ष से भी अधिक समय से एक के बाद एक सरकारों की हिचकिचाहट का लाभ उठाया और केवल एक माँग की पूर्ति के लिए लोगों को अपने ध्वज तले इकट्ठा करने में कामयाबी पाई—स्वतंत्र संस्थागत तंत्र का गठन करने की माँग...प्रधानमंत्री और उनके सलाहकारों ने स्थिति को समझने में भारी भूल की। इस माँग के पक्ष में जनता के सभी वर्गों के भारी समर्थन ने उन्हें चौंका दिया। अन्ना हजारे के समर्थन में देश भर में सड़कों पर उतरे युवकों की बड़ी तादाद को देखकर वे चकित रह गए। इस बात का उनके पास कोई उत्तर नहीं था कि जन-आंदोलन के नाम पर तीन ताकतें—अन्ना हजारे की अगुआई में सामाजिक कार्यकर्ता, समाज के भिन्न-भिन्न वर्गों से आए स्व-प्रेरित एवं क्रुद्ध विद्यार्थी और टी.वी. समाचार चैनल—एक कैसे हो गईं!''

अन्ना को नरेंद्र मोदी का खुला पत्र

गुजरात के मुख्यमंत्री श्री नरेंद्र मोदी ने जो विकास कार्य आरंभ किया है, उसके लिए अन्ना हज़ारे द्वारा उनकी प्रशंसा किए जाने के एक दिन बाद मोदी ने (11 अप्रैल, 2011 को) अपने ब्लॉग पर वयोवृद्ध गांधीवादी एवं भ्रष्टाचार-विरोधी कार्यकर्ता अन्ना हजारे को संबोधित एक खुले पत्र में उनका गुणगान

किया। अन्ना हजारे को संबोधित नरेंद्र मोदी के खुले पत्र की पूरी विषय-वस्तु इस प्रकार है—

अन्नाजी को एक खुले पत्र में मेरी हार्दिक शुभकामनाएँ!

आदरणीय अन्नाजी,

नवरात्र में उपवास के आठवें दिन सुबह-सुबह 5 बजे मुझे आपको लिखने की अंत:प्रेरणा मिली है।

उस अवधि के दौरान जब आप दिल्ली में अनशन पर बैठे हुए थे, तब मैं भी नवरात्र के अवसर पर उपवास कर रहा था, क्योंकि नवरात्र पर्वकाल को दिव्य शक्ति के अवतार का प्रतीक माना जाता है। मैं इसे माँ जगदंबा की कृपा ही मानूँगा कि आपके धर्मयुद्ध में मुझे भी सहयात्री बनने का सौभाग्य प्राप्त हुआ है, यद्यपि परोक्ष रूप से।

नवरात्र का उपवास रखकर और चुनाव अभियान में व्यस्त रहते हुए मुझे असम में माता कामाख्या के दर्शन करने का सुअवसर मिला। आपका अनशन चल रहा था और स्वाभाविक रूप से मैंने कामाख्या देवी से आपके स्वास्थ्य के बारे में प्रार्थना की। और उस पल से मुझे विश्वास हो चला है कि कोई एक दिव्य शक्ति है, जो आपके ऊपर अपनी कृपा बरसा रही है।

केरल प्रचार-अभियान से मैं कल प्रात: 2 बजे गांधीनगर वापस आया। और कल ही मुझे यह उत्साहवर्धक समाचार प्राप्त हुआ कि आपने गुजरात और मेरे बारे में प्रशंसा के कुछ शब्द व्यक्त किए हैं।

मैं भाग्यशाली हूँ और आपका आशीर्वाद पाकर मैं कृतज्ञ अनुभव करता हूँ।

आदरणीय अन्नाजी, आपके प्रति मेरी श्रद्धा बहुत पुरानी है। राजनीति में आने से पहले मैं पूर्णकालिक आर.एस.एस. प्रचारक था। उस समय आर.एस.एस. के जो राष्ट्रीय नेता हमारी सभाओं में भाग लेने आते थे, वे आपके ग्रामीण विकास क्रिया कलापों की चर्चा अवश्य करते थे, ताकि उनका अनुकरण किया जा सके। इसका मुझ पर अत्यधिक प्रभाव पड़ा है। पिछले दिनों मुझे भी आपसे मिलने का सुअवसर मिला।

मैं और मेरा राज्य गुजरात दोनों आपके प्रति आभारी हैं; क्योंकि आपने मेरे बारे में और मेरे राज्य के बारे में अच्छी बातें कहकर साहस एवं पूर्ण विश्वास जताया है। साहस की इस अभिव्यक्ति में आपने

सच्चाई के प्रति वचनबद्धता और एक सिपाही जैसे दृढ़ विश्वास का परिचय दिया है और इसी कारण आपकी धारणा सर्वत्र स्वीकार की गई है।

मेरा अनुरोध है, आप मुझे यह आशीर्वाद भी दें कि आपकी प्रशंसा मुझे आत्मतुष्ट होकर नहीं बैठने देगी और मैं गलतियाँ नहीं करूँगा।

आपके आशीर्वचनों ने मुझे सही और अच्छा करने की शक्ति दी है। इसके साथ ही मेरी जिम्मेदारी भी और बढ़ गई है। आपके वक्तव्य के कारण अब करोड़ों युवकों के मन में बड़ी-बड़ी आशाएँ उत्पन्न हो रही होंगी और ऐसी स्थिति में मेरी एक छोटी सी भूल भी उन्हें निराश कर देगी। अत: मुझे सतर्क रहना होगा और उसके लिए मुझे आपके आशीर्वाद की आवश्यकता है।

श्रद्धेय अन्नाजी, इस नाजुक क्षण में मैं यह कहना चाहूँगा कि मैं एक साधारण परिवार से हूँ और एक सामान्य व्यक्ति भी हूँ। मेरे परिवार में कोई भी दूर-दूर तक राजनीति से जुड़ा हुआ अथवा सत्ता के निकट नहीं है। मैं इस भ्रम में नहीं रहता हूँ कि मैं एक परिपूर्ण, त्रुटि-रहित व्यक्ति हूँ। एक आम आदमी की भाँति मेरी भी अपनी सीमाएँ हैं, मुझमें भी अच्छे और बुरे गुण हैं।

मैं प्रार्थना करता हूँ कि माँ जगदंबा की कृपा सदैव मुझ पर बनी रहे, ताकि दुर्गुण मुझ पर हावी न हो सकें। सदैव गुजरात की भलाई करने के बारे में सोचते हुए मैं स्वयं को गुजरात की प्रगति में लगाए रखूँगा और गरीबों के चेहरे से आँसुओं को मिटाने का हरसंभव प्रयास करूँगा। इतना कुछ करने के लिए मुझे निरंतर आपके आशीर्वाद की आवश्यकता होगी और यही आपसे मेरा विनम्र अनुरोध है।

आदरणीय अन्नाजी, आप एक गांधीवादी हैं और एक योद्धा हैं। कल केरल में चुनाव-प्रचार के दौरान जब मैंने अपने लिए और अपने राज्य के लिए आपके द्वारा व्यक्त आशीर्वचनों के बारे में सुना तो मुझे इस शंका ने घेर लिया कि अब आपके ऊपर फब्तियाँ कसी जाएँगी, आपको बदनाम किया जाएगा। गुजरात के प्रति विद्वेष रखनेवाला एक गुट सच्चाई के प्रति आपके प्यार, त्याग, तप और आपकी वचनबद्धता को कलंकित करने के लिए अवसर को हाथ से नहीं जाने देगा। वे आपके नाम को कलुषित करेंगे, क्योंकि आपने मेरी और मेरे राज्य की प्रशंसा की।

दुर्भाग्य से यह बात सच हो गई है। नवरात्र के अवसर पर मैं माँ जगदंबा से प्रार्थना करता हूँ कि कोई भी आपके निर्मल नाम को कलंकित न करे।

आपको पता ही होगा कि जो कोई भी, स्त्री या पुरुष, गुजरात के बारे में अच्छा बोलता है, उसे अपशब्दों का सामना करना पड़ेगा, गाली-गलौज सहनी पड़ेगी।

पिछले दिनों की बात है, कैनूर निर्वाचन क्षेत्र से कम्युनिस्ट पार्टी के श्री पी. अब्दुल्ला कुट्टी को गुजरात के विकास की प्रशंसा करने पर पार्टी से निष्कासित कर दिया गया था।

इस शताब्दी के महानायक श्री अमिताभ बच्चन ने जब गुजरात पर्यटन के लिए निःशुल्क काम किया तो विदेशी ताकतों के इसी गुट ने उनपर भी हल्ला बोल दिया। उन लोगों ने श्री बच्चन के विरुद्ध मिथ्या बातें फैलानी शुरू कर दीं, ताकि वे गुजरात से अपना पुराना रिश्ता तोड़ दें। मुंबई में एक सार्वजनिक समारोह में बच्चन को आमंत्रित किया गया था, लेकिन इस गुट ने उन्हें अंदर जाने से रोक दिया।

इसी तरह गुजरात के एक प्रमुख गांधीवादी श्री गुनवंत शाह पर भी कीचड़ उछाला गया, जो गुजरात के आत्म-गौरव के लिए बोल रहे हैं।

देवबंद के दारुल उलूम के अध्यक्ष के रूप में चुने गए गुजरात के मौलाना गुलाम वस्तानवी को भी बदनाम करने की कोशिश की गई, जब उन्होंने गुजरात के विकास की तारीफ में कुछ कह दिया था। उन्होंने खुलेआम कहा कि गुजरात तेज रफ्तार से विकास के रास्ते पर आगे बढ़ रहा है और किसी भी धार्मिक भेदभाव के बिना हर व्यक्ति को विकास का लाभ प्राप्त हो रहा है। इन्हीं ताकतों ने बुरी तरह परेशान करके उन्हें खामोश कर दिया।

हाल ही में भारतीय सेना के गोल्डन कटारा डिवीजन के मेजर जनरल आई.एस. सिन्हा को भी इन्हीं ताकतों ने परेशान किया, जब उन्होंने गुजरात के विकास की सराहना में कुछ कह दिया था। मेजर जनरल के खिलाफ अनुशासनात्मक कारवाई करने तक की माँग उठाई गई।

ये सिर्फ इने-गिने उदाहरण हैं। लेकिन गुजरात के वास्तविक विकास की यात्रा मेरे राज्य पर बदनामी थोपने पर आमादा इस गुट के लिए एक अभिशाप बन गई है। जब कभी गुजरात का नाम लिया जाता

है तो ये ताकतें तुरंत अफवाह और झूठ फैलाने में लग जाती हैं।

आदरणीय अन्नाजी, गुजरात के 6 करोड़ लोग यह नहीं चाहते हैं कि वही गुट आपको भी दु:खी करे।

मुझे फिर भी आशंका है कि यह गुट आपको मुश्किल में डालेगा। ईश्वर आपको सामर्थ्य दे।

आपने देश के लिए जो त्याग और तप किए हैं, उसके आगे मैं नतमस्तक हूँ। ईश्वर आपको अच्छी–से–अच्छी सेहत दे, ताकि मेरे जैसे अनेक लोगों को आपके मार्गदर्शन का लाभ मिल सके। यही मेरी हार्दिक विनती है।

आपका

(नरेंद्र मोदी)

☐

3

भारत में भ्रष्टाचार

स्वतंत्रता प्राप्त होने के समय से पिछले 60 वर्षों में भारत ने बहुत भ्रष्टाचार देखा है। 1950 के दशक से लेकर 1980 के दशक के उत्तरार्ध तक भारत की अर्थव्यवस्था समाजवाद से प्रेरित नीतियों के तहत काम कर रही थी। यह अर्थव्यवस्था बहुत अधिक नियंत्रण, संरक्षणवाद और सरकारी स्वामित्व के अधीन थी, जिससे व्यापक भ्रष्टाचार फैला और विकास की गति मंद पड़ गई। इस भ्रष्टाचार की जड़ में प्रायः लाइसेंस राज का हाथ देखा गया।

वर्ष 2005 में 'ट्रांसपैरेंसी इंटरनेशनल' द्वारा भारत में किए गए एक अध्ययन से पता चला कि भारत में 15 प्रतिशत से अधिक लोगों को किसी सरकारी कार्यालय में कोई भी काम कराने के लिए घूस देने या प्रभाव का इस्तेमाल करने का पहला अनुभव हुआ। कर और रिश्वत दैनिक जीवन की एक सच्चाई बन गए हैं। राज्य सीमाओं के बीच इनका सामान्य बोलबाला है। 'ट्रांसपैरेंसी इंटरनेशनल' के अनुमान के अनुसार, ट्रक मालिक सालाना 5 अरब अमेरिकी डॉलर घूस अदा करते हैं। वर्ष 2010 के लिए, भारत का स्थान 'ट्रांसपेरेंसी इंटरनेशनल' की भ्रष्टाचारग्रस्त देशों की सूची में 178 में से 87वाँ था। वर्ष 2010 की बात करें तो भारत की गणना विश्व में सर्वाधिक भ्रष्ट सरकारों में की जाती है। हालाँकि दक्षिण एशिया में इसे सबसे कम भ्रष्ट देश माना जाता है।

[प्रधानमंत्री मनमोहन सिंह ने 18 मार्च, 2011 को कहा कि भारत को भ्रष्टाचार की बीमारी से निपटने और एशिया की तीसरी सबसे बड़ी अर्थव्यवस्था में शासन सुधारने के लिए कदम उठाने की जरूरत है।]

स्विस बैंकों में काला धन रखनेवालों की सूची में भारत का नाम पूरे विश्व में सबसे ऊपर बताया जाता है। भारत की लगभग 1,456 अरब अमेरिकी डॉलर राशि (1.4 ट्रिलियन अमेरिकी डॉलर के करीब) काले धन के रूप में वहाँ जमा है। स्विस बैंकिंग एसोसिएशन रिपोर्ट (2006) से प्राप्त आँकड़ों के अनुसार, भारत के पास उससे अधिक काला धन है जितना कि शेष विश्व के पास कुल मिलाकर होगा। स्विस बैंक के पास भारत के खाते में जमा रकम का मूल्य देश के राष्ट्रीय ऋण से 13 गुना बताया जाता है। भारत का काला धन कभी-कभी वास्तविक रूप में विदेशों में भेजा जाता है। मुंबई आधारित एक इक्विटी फर्म के सी.ई.ओ. ने हाल ही में पत्रकारों को बतलाया कि मुंबई और दिल्ली हवाई अड्डों से भारत का धन 'विशेष उड़ानों' द्वारा देश के बाहर ज्यूरिख भेजा जाता है। बैंकिंग उद्योग के स्रोतों के अनुसार, स्विस बैंकों में अवैध धन जमा करानेवालों में भारतीयों की संख्या बेशक सबसे अधिक होगी। एक अनुमान के अनुसार, वर्ष 2002-06 के दौरान भारत से हर साल विदेश में जमा कराए गए धन का औसत 27.3 अरब अमेरिकी डॉलर आँका गया है।

भारतीय राजनीति का अपराधीकरण एक गंभीर समस्या है। [जुलाई 2008 में 'द वाशिंगटन पोस्ट' के हवाले से सूचना दी गई कि 540 भारतीय संसद् सदस्यों में से करीब एक-चौथाई सदस्यों के खिलाफ आपराधिक आरोप थे। भारत से धन की अवैध उड़ान के बारे में एक अंतरराष्ट्रीय निगरानी संस्था द्वारा किए गए एक अध्ययन का यह निष्कर्ष है कि सन् 1948 और 2008 के बीच लगभग 462 अरब अमेरिकी डॉलर (20 लाख करोड़ रुपए से अधिक) की राशि देश के बाहर चली गई है। यह राशि भारत के वार्षिक सकल घरेलू उत्पाद का लगभग 40 प्रतिशत है। (हमेशा गोपनीयता के आवरण में रहनेवाले इस विषय पर प्रकाश डालने का यह शायद सबसे पहला प्रयास था)।]

स्वतंत्र रिपोर्टों, विशेषकर एस. गुरुमूर्ति द्वारा तैयार की गई रिपोर्ट (2 जनवरी, 2011 को 'द न्यू इंडियन एक्सप्रेस' में प्रकाशित) के अनुसार, भारत के परंपरागत सत्तारूढ़ राजनीतिक परिवार (गांधी परिवार की विशुद्ध मिल्कियत 42,345 करोड़ रुपए (9.4 अरब अमेरिकी डॉलर) से लेकर 83,900 करोड़ रुपए (18.63 अरब अमेरिकी डॉलर) के बीच हो सकती है, जिसमें से अधिकांश अवैध मुद्रा के रूप में है।)

हार्वर्ड विद्वान् येवजेनिया अलबैट्स ने राजीव गांधी और उनके परिवार

को अदायगियों के बारे में के.जी.बी. पत्राचार का उल्लेख किया, जिसकी व्यवस्था विक्टर चेब्रीकोव द्वारा की गई थी, जिससे यह पता चलता है कि के.जी.बी. प्रमुख विक्टर चेब्रीकोव ने राजीव गांधी के पारिवारिक सदस्यों, अर्थात् सोनिया गांधी, राहुल गांधी और पाओला मैनो, सोनिया गांधी की माँ को अमेरिकी डॉलर में भुगतान करने के लिए दिसंबर 1985 में 'सी.पी.एस.यू. से आधिकारिक मंजूरी' एक लिखित पत्र के रूप में माँगी थी।

यूनाइटेड स्टेट्स में 'डांडी मार्च-2' के आयोजकों का कहना था—''हाल में अनेक बड़े घोटाले प्रकाश में आए हैं, जिनमें अकल्पनीय रूप से बड़ी रकमों की गड़बड़ी हुई है, जैसे कि 2जी स्पेक्ट्रम घोटाला। अनुमान है कि 10 खरब डॉलर से अधिक रकम विदेशों में जमा है, जबकि 80 प्रतिशत भारतीय प्रतिदिन 2 डॉलर से कम कमाते हैं और हर दूसरा बच्चा कुपोषण से ग्रस्त है। ऐसा प्रतीत होता है मानो केवल सच्चे एवं ईमानदार लोग ही निर्धन हैं और वे शिक्षा के जरिए शहरों की ओर गमन करके और आप्रवासन द्वारा अपनी गरीबी से मुक्ति पाना चाहते हैं, जबकि हसन अली जैसे भ्रष्ट लोग घोटालों और अपराध के जरिए मालामाल हो रहे हैं।''

इसके बावजूद भारत सरकार 1,00,000 करोड़ रुपए (22.2 अरब अमेरिकी डॉलर) से अधिक की अप्रयुक्त विदेशी सहायता पर बैठी है, जिससे पता चलता है कि शहरी विकास, जल संसाधन एवं ऊर्जा जैसे मंत्रालयों में योजनाओं का कितना अभाव है! सरकारी लेखा-परीक्षक 'भारत के नियंत्रक एवं महालेखा परीक्षक' (सी.ए.जी.) की एक रिपोर्ट इस बात का प्रमाण है। 18 मार्च, 2011 को संसद् के सभा-पटल पर रखी गई सी.ए.जी. की रिपोर्ट के अनुसार, ''31 मार्च, 2010 को अप्रयुक्त पड़ी विदेशी सहायता की राशि, जिसका उपयोग किसी विशिष्ट उद्देश्य/परियोजनाओं के लिए किया जाना था, करीब 1,05,339 करोड़ रुपए थी।'' वास्तव में भारत सरकर ने वर्ष 2009-10 के दौरान हमारे करदाताओं की धनराशि से 86.11 करोड़ रुपए (19.12 मिलियन अमेरिकी डॉलर) प्रतिबद्धता प्रभार के रूप में अदा किया है, जो इस बात का हर्जाना था कि बहुपक्षीय और द्विपक्षीय उधार दाता एजेंसियों द्वारा अनुमोदित सहायता राशि का निर्धारित समय-सीमा के अंदर इस्तेमाल क्यों नहीं किया गया!

1991 के बाद बड़े घोटाले

'आउटलुक' पत्रिका (23 नवंबर, 2009 को प्रकाशित) के अनुसार, 1991

में भारतीय अर्थव्यवस्था को खुला कर देने से घोटालों की रकम को बहुत ऊँची छलाँग लगाने का मौका मिल गया। 'आउटलुक' पत्रिका ने सन् 1991 से वित्तीय घोटालों में लिप्त राशि का जो अनुमान लगाया है, उसके अनुसार 73 लाख करोड़ रुपए की लूट-खसोट की गई है, जो एक बहुत बड़ी रकम है। पत्रिका में दी गई घोटालों की सूची इस प्रकार है—

1992 हर्षद मेहता प्रतिभूति घोटाला—5,000 करोड़ रुपए।

1994 शक्कर आयात घोटाला—650 करोड़ रुपए।

1995 तरजीही (अर्थात् पक्षपातपूर्ण) आवंटन घोटाला; यूगोस्लाव दीनार घोटाला—400 करोड़ रुपए; मेघालय वन घोटाला—300 करोड़ रुपए।

1996 उर्वरक आयात घोटाला 1,300 करोड़ रुपए; यूरिया घोटाला—133 करोड़ रुपए; बिहार का चारा घोटाला—950 करोड़ रुपए।

1997 सुखराम टेलीकॉम घोटाला—1,500 करोड़ रुपए; एस.एम.सी. लवलिन विद्युत् परियोजना घोटाला—374 करोड़ रुपए; बिहार भूमि कांड—400 करोड़ रुपए; सी.आर. भंसाली शेयर घोटाला—1,200 करोड़ रुपए।

1998 टीक बागान घपला—8,000 करोड़ रुपए।

2001 यू.टी.आई. घोटाला—4,800 करोड़ रुपए; दिनेश डालमिया स्टॉक घोटाला—595 करोड़ रुपए; केतन पारेख प्रतिभूति घोटाला—1,250 करोड़ रुपए।

2002 संजय अग्रवाल होम ट्रेड घोटाला—600 करोड़ रुपए।

2003 तेलगी स्टांप पेपर घोटाला—172 करोड़ रुपए।

2005 आई.पी.ओ. डीमैट घोटाला—146 करोड़ रुपए; बिहार बाढ़ राहत घोटाला—17 करोड़ रुपए; स्कॉर्पीन सबमैरीन घोटाला—18,978 करोड़ रुपए।

2006 पंजाब का सिटी सेंटर घोटाला—1,500 करोड़ रुपए; ताज कॉरीडोर घपला—175 करोड़ रुपए।

2008 पुणे के अरबपति हसन अली खाँ पर कर (टैक्स) की बकाएदारी का मामला—50,000 करोड़ रुपए; सत्यम् घोटाला—10,000 करोड़ रुपए; सेना में राशन की चोरी से

संबंधित घोटाला—5,000 करोड़ रुपए; 2-जी स्पेक्ट्रम घोटाला—60,000 करोड़ रुपए; स्टेट बैंक ऑफ सौराष्ट्र घपला—95 करोड़ रुपए; स्विस बैंकों में जमा अवैध धन; 2008 में लगाए गए अनुमान के अनुसार 81,00,000 करोड़ रुपए।

2009 झारखंड चिकित्सा उपकरण घोटाला—130 करोड़ रुपए; चावल निर्यात घोटाला—2,500 करोड़ रुपए; उड़ीसा खनन घोटाला—7,000 करोड़ रुपए; मधु कोड़ा खनन घोटाला—4,000 करोड़ रुपए।

सन् 1991 से, जब भारतीय अर्थव्यवस्था को सुधारों के लिए रास्ता बनाने हेतु निर्बंध किया गया था—ऐसे सुधार, जिनका लक्ष्य लाइसेंस राज का शिकंजा हटाना और भ्रष्टाचार की गुंजाइश को कम करना था—वित्तीय घोटाले सामने आना एक आम बात हो गई है, जो एक बड़ी व्यंग्यपूर्ण स्थिति है। पत्रिका से बात करते हुए दिल्ली के जवाहरलाल नेहरू विश्वविद्यालय के प्रो. अरुण कुमार कहते हैं, ''सामान्य चीज असामान्य हो गई है और असामान्य चीज सामान्य।'' कुमार का कहना है कि ''उदारीकरण के तत्काल बाद 1991 और 1996 के बीच घपलों के बहुत अधिक, यानी 26 मामले सामने आए। इनमें से 13 मामले ऐसे थे जिनमें से प्रत्येक में 1,000 करोड़ से अधिक का घपला था। तब से लेकर आज तक घोटालों की राशि में न केवल शून्यों की संख्या बढ़ती गई, बल्कि घोटालों में लिप्त राशि का पहाड़ भी बृहत्तर होता चला गया। वर्ष 2008 का स्पेक्ट्रम आवंटन घोटाला 60,000 करोड़ रुपए तक पहुँच गया बताया जाता है। आज हम इसी तरह के माहौल में जी रहे हैं।''

कुमार मानते हैं कि भारत में काली अर्थव्यवस्था बढ़ते-बढ़ते आज देश की जी.डी.पी. अर्थात् सकल घरेलू उत्पाद के 50 प्रतिशत (26,60,876.5 करोड़ रुपए) तक जा पहुँची है। वास्तव में यह आँकड़ा सबकुछ मिलाकर बनता है। इसमें हर वह व्यक्ति शामिल है, जो किसी अर्जित आय पर कर अदा नहीं करता है; वह अध्यापक भी शामिल है, जो स्कूल के बाद ट्यूशन की कमाई का खुलासा नहीं करता है। कुमार के अनुसार, 1950 के दशक में यह समानांतर अर्थव्यवस्था जी.डी.पी. का कुल 5 प्रतिशत थी। भले ही आप इसे व्यंग्य समझें या कुछ और, व्यवसाय और विकास को किसी की कीमत पर

बढ़ाने की उत्कट चाह ने ही भ्रष्टाचार को इस स्तर तक पहुँचाया है।

पत्रिका से भेंटवार्ता में आर्थिक कार्य विभाग के पूर्व सचिव ई.ए.एस. शर्मा कहते हैं, ''प्रतिमानों को शीघ्र मंजूरी देने के चक्कर में सरकार ने कुछ ऐसा रवैया अपना लिया है कि यदि कोई विकासक स्थापित मानदंडों का उल्लंघन करता है तो उसको अनदेखा कर दिया जाए। और यदि कानून रास्ते में आता है तो सरकार अविलंब कदम उठाकर ऐसे कानूनों पर पानी डालने के लिए भी तैयार है।'' ''उदारीकरण के बाद पूँजी बाजारों को देखें, जिनकी अकसर ऊँची छलाँगों का जश्न मनाया जाता है, जैसे कि वही देश के आर्थिक स्वास्थ्य के सूचक हों—ये पूँजी बाजार स्वयं खोट से भरे हैं, क्योंकि उनके बारे में पर्याप्त निगरानी, ठोस जवाबदेही और उपयुक्त दंड-विधान की व्यवस्था अभी तक नहीं है।'' व्यवसाय जगत् की जानी-मानी पत्रकार सुचेता दलाल ने लिखा है।

धन और राजनीति की मिलीभगत का स्वरूप भी बदल रहा है। राजनीति पर धन हावी होता जा रहा है। हाल ही में जो अनेक धन-रंजित राजनीतिक घोटाले सामने आए हैं—जिनमें मधु कोड़ा, केंद्रीय टेलीकॉम मंत्री ए. राजा और बिल्लारी के रेड्डी बंधुओं के घोटाले भी शामिल हैं—उनका हवाला देते हुए आंध्र प्रदेश में लोक सत्ता पार्टी के जयप्रकाश नारायण कहते हैं कि वे 'नाटकीय ढंग से' इस संबंध के अगले चरण को प्रदर्शित करते हैं। ''अब ऐसा नहीं है कि राजनीति को दौलत सिर्फ प्रभावित कर रही है। वास्तव में, आज यह राजनीति को इशारों पर नचा रही है।'' वे कहते हैं। ''कोई धन-संपत्ति का निर्माण नहीं हो रहा है। राज्य के प्राकृतिक संसाधन मनमाने ढंग से निजी अर्थात् गैर-सरकारी पार्टियों को दे दिए जाते हैं और इस सबके बदले एकमात्र 'कदाशय' अर्थात्? बुरा इरादा निजी साम्राज्य खड़ा करने का रहता है।''

सी.पी.आई. के ए.बी. वर्धन इससे सहमत हैं। उनका कहना है—''बड़ी धन-दौलत की शक्ति हमारे लोकतंत्र के ऊपर घने काले बादल की तरह छा रही है। चुनावों पर करोड़ों रुपए खर्च किए जा रहे हैं। चुनाव वार्ड प्रतिनिधि का ही क्यों न हो। यह व्यवस्था गरीबों और गरीबों की पार्टियों को चुनाव लड़ने से दूर रखने में कामयाब हो रही है। कोड़ा भले ही पकड़े जा चुके हों, लेकिन और भी अनेक बड़ी मछलियाँ हैं जिन पर अभी हाथ नहीं डाला गया है। मिसाल के तौर पर, यह बताया गया है कि हरियाणा के पुनर्निर्वाचित विधायक (एम.एल.ए.) का औसत मूल्य बढ़ते-बढ़ते 5 करोड़ रुपए हो गया

है। जगनमोहन रेड्डी की बहनों की परिसंपत्ति भी कहा जाता है, कई गुना बढ़ गई है। आप इसे क्या कहेंगे ? लोकतंत्र पर धन का यह प्रभाव हमारे नैतिक बल की बनावट को खाए जा रहा है। हम नैतिक संकट की मानसिकता में घर कर गए हैं, जहाँ बहुत लोग सोचते हैं कि भ्रष्टाचार अब स्वाभाविक और सामान्य बात हो गई है।''

भ्रष्टाचार पर काररवाई न करना—इने-गिने अपवादों के साथ—सर्वत्र व्याप्त है। सामान्यत: राजनीतिज्ञों को सजा नहीं दी गई है। यहाँ तक कि न्यायपालिका भी भ्रष्टाचार से अछूती नहीं रही है—इसका ताजा उदाहरण है कर्नाटक उच्च न्यायालय के मुख्य न्यायाधीश पी.डी. दिनाकरन के खिलाफ जबरन भूमि हड़पने का एक आरोप। एक और उदाहरण अधिकारी तंत्र का है—अधिकारी पहले भी भ्रष्टाचार के शिकार हो चुके हैं और अंदर का कोई भी व्यक्ति खुलकर बोलना नहीं चाहता है। लेकिन कुछ लोग हैं, जो इतने संशयवादी नहीं हैं। एक रिटायर्ड एडमिरल, 'ट्रॉसपैरेंसी इंटरनेशनल इंडिया' के चेयरमैन, आर.एच. तहिलियानी, 'आउटलुक' पत्रिका से भेंटवार्ता में कहते हैं, ''निर्वाचन प्रणाली में भ्रष्टाचार अपनी चरम सीमा पर है। अत: कोई भी राजनीतिज्ञों को जाने देने के पक्ष में नहीं है; शायद इसलिए भी, क्योंकि तान साधनेवाला शासक वर्ग है।··· 99 डिग्री सेल्सियस पर पानी गरम तो होता है, लेकिन उसमें कोई ऊर्जा नहीं होती है। एक डिग्री और बढ़ा दें, पानी उबलने लगता है, भाप बनने लगती है और उसमें जबरदस्त ऊर्जा आ जाती है। उसी प्रकार जो लोग भ्रष्टाचार के विरुद्ध हैं, उन्हें संघर्ष जारी रखना चाहिए। आप नहीं जानते, वह अतिरिक्त ऊर्जा कब आ जाए! आखिरकार बर्लिन की दीवार एक भी गोली चलाए बिना गिरा दी गई थी। क्या ऐसा नहीं हुआ?''

भारत के राजनीतिक कुकर्म

चुरहट लॉटरी कांड (1982)

अर्जुन सिंह जिस समय मध्य प्रदेश के मुख्यमंत्री थे, वे एक ऐसे घपले में फँस गए थे, जिसे कुछ लोगों ने 'चुरहट लॉटरी कांड' का नाम दिया। 'चुरहट चिल्ड्रन वेलफेयर सोसाइटी' 1982 में सिंह के रिश्तेदारों द्वारा आरंभ की गई थी और इसे लॉटरी के जरिए धन जुटाने की मंजूरी दी गई थी तथा एक चैरिटी के रूप में कर-राहत अर्थात् कर अदा करने से छूट भी मिल गई थी। तथापि

इस मामले में ऐसे व्यापक आरोप थे कि एक बहुत बड़ी रकम निकालकर भोपाल के निकट केरवा बाँध प्रासाद का निर्माण करने के लिए पानी की तरह पैसा खर्च किया गया है। सोसाइटी को मिले चंदे की राशि में यूनियन कार्बाइड से प्राप्त 1,50,000 की रकम भी शामिल थी। यह वही कंपनी है, जिसके प्रमुख अधिकारी वारेन एंडरसन को गैस-रिसाव की दुर्घटना के बाद कथित रूप से अर्जुन सिंह के कार्यालय द्वारा देश छोड़कर जाने की अनुमति दी गई थी।

एक लोक-विवाद सुनवाई के दौरान उच्च न्यायालय ने यह टिप्पणी की कि ''भोपाल में महल जैसे विशाल एवं शानदार बहुमंजिले मकान का निर्माण करने की लागत और स्रोतों के बारे में अर्जुन सिंह को देश के सामने एक स्पष्टीकरण प्रस्तुत करना चाहिए।'' अर्जुन सिंह ने उस कोठी का मूल्य 18 लाख रुपए बतलाया था; लेकिन आयकर विभाग के अनुसार उसकी अनुमानित लागत करीब 1 करोड़ रुपए थी। तथापि इस आक्षेप की जाँच करनेवाले एक एकल जज आयोग ने अर्जुन सिंह को बेदाग घोषित कर दिया। तथापि जैन हवाला कांड के बाद इस प्रकरण को दुबारा खोला गया और सिंह से उस महलनुमा मकान की लागत के ताजा अनुमान दुबारा पेश करने के लिए कहा गया। अदालत में इस मामले पर कपिल सिब्बल ने बहस की और दोबारा जाँच का आदेश इस आधार पर रद्द कर दिया गया कि यह जल्दबाजी में जारी किया गया है और ''इसे जारी करनेवाले ने अपने विवेक का प्रयोग नहीं किया है।''

सेंट किट्स केस (1989)

पी.वी. नरसिम्हा राव, उनके सहयोगी मंत्री के.के. तिवारी और चंद्रास्वामी तथा के.एन. अग्रवाल पर ऐसे जाली दस्तावेज तैयार करने का आरोप लगाया गया था, जिनमें यह दिखाया गया कि अजेय सिंह ने सेंट किट्स में स्थित फर्स्ट ट्रस्ट कॉर्पोरेशन बैंक में एक बैंक खाता खोला है और उस खाते में 2.1 करोड़ डॉलर जमा कराए हैं, जिसका लाभार्थी उसके पिता वी.पी. सिंह को बनाया गया है। यह घटना 1989 की बताई गई। तथापि प्रधानमंत्री के रूप में राव का कार्यकाल 1996 में समाप्त होने के बाद ही केंद्रीय जाँच ब्यूरो द्वारा उन्हें इस अपराध के लिए औपचारिक रूप से अभियुक्त बनाया गया। एक वर्ष से भी कम समय बाद अदालत ने उन्हें इस आधार पर बरी कर

दिया कि इस कांड से उनका नाम जोड़ने के सबूत पूरे नहीं हैं। दूसरे सभी अभियुक्तों को भी अंतत: छोड़ दिया गया, चंद्रास्वामी को सबसे बाद में छोड़ा गया।

बोफोर्स कांड (1987)

भारत में भ्रष्टाचार के एक बड़े कांड, 'बोफोर्स कांड' का भंडाफोड़ 1987 में हुआ। तत्कालीन प्रधानमंत्री राजीव गांधी और कई अन्य लोगों पर बोफोर्स ए.बी. से भारत को 155 एम.एम. फील्ड हाविट्जर तोपों की सप्लाई करने का सौदा करने की एवज में घूस लेने का आरोप लगाया गया था। भ्रष्टाचार किस हद तक जा पहुँचा है, इससे बड़ा उदाहरण भारत ने पहले कभी नहीं देखा था; और उसका ही नतीजा था कि नवंबर 1989 के आम चुनावों में सत्तारूढ़ कांग्रेस पार्टी को सीधे-सीधे हार का मुँह देखना पड़ा। एक अनुमान के अनुसार, यह घूस कांड करीब 40 करोड़ रुपए का था। यह मामला उस दौरान प्रकाश में आया, जब विश्वनाथ प्रताप सिंह रक्षामंत्री थे। और जिन खोजी पत्रकारों के जरिए इस कांड का भंडाफोड़ हुआ, वे थे भारत के दो प्रमुख दैनिक अखबार 'द इंडियन एक्सप्रेस' और 'दी हिंदू' से संबद्ध चित्रा सुब्रमण्यम और एन. राम।

इस कांड से जुड़े दलाल का नाम था ऑटिवियो क्वात्रोची, जो इटली का एक व्यापारी है और पेट्रोकेमिकल कंपनी 'स्नामप्रोगेती' के लिए काम करता था। बताया जाता है कि क्वात्रोची की प्रधानमंत्री राजीव गांधी के परिवार से घनिष्ठता थी और वह 1980 के दशक में बड़े-बड़े कारोबार और भारत सरकार के बीच एक प्रभावशाली दलाल के रूप में उभरकर सामने आया। मामले की अभी जाँच चल रही थी कि 21 मई, 1991 को राजीव गांधी की हत्या कर दी गई। हालाँकि इस मामले से उसका कोई संबंध नहीं था। 1997 में स्विस बैंकों ने कई वर्षों की कानूनी लड़ाई के बाद कुल 500 कागजात दिए और केंद्रीय जाँच ब्यूरो ने क्वात्रोची के खिलाफ एक मामला दर्ज कराया और उसमें विन चड्ढा, रक्षा सचिव एस.के. भटनागर तथा कुछ अन्य लोगों के साथ-साथ राजीव गांधी का नाम भी शामिल था। इस बीच विन चड्ढा की भी मृत्यु हो गई।

5 फरवरी, 2004 को दिल्ली उच्च न्यायालय ने राजीव गांधी और अन्य लोगों के विरुद्ध रिश्वतखोरी के आरोप रद्द कर दिए; लेकिन धोखाधड़ी, सरकार

को अनुचित हानि पहुँचाने आदि आरोपों की जाँच अभी चल रही थी। 31 मई, 2005 को दिल्ली उच्च न्यायालय ने ब्रिटिश व्यापारी बंधुओं—श्रीचंद, गोपीचंद और प्रकाश हिंदुजा के खिलाफ लगे आरोप खारिज कर दिए।

दिसंबर 2005 में भारत के अतिरिक्त सोलिसिटर जनरल श्री बी. दात ने भारत सरकार और सी.बी.आई. की ओर से पैरवी करते हुए ब्रिटिश सरकार से अनुरोध किया कि ऑटेवियो क्वात्रोची के दो ब्रिटिश बैंक खातों को बंधन मुक्त कर दिया जाए, क्योंकि बोफोर्स दलाली से इन बातों को जोड़ने के सबूत अपर्याप्त हैं। उन दोनों खातों में, जिनपर रोक लगा दी गई थी, 30 लाख और 10 लाख डॉलर जमा थे। 16 जनवरी को भारत के सर्वोच्च न्यायालय ने भारत सरकार को यह सुनिश्चित करने का निर्देश दिया कि ऑटेवियो क्वात्रोची लंदन में अपने इन दोनों खातों से धनाहरण नहीं करता है। भारत की संघीय कानून प्रवर्तन एजेंसी सी.बी.आई. ने 23 जनवरी, 2006 को यह स्वीकार किया कि उक्त दोनों खातों में जमा रकम में से करीब 21 करोड़ रुपए (लगभग 416 मिलियन यू.एस. डॉलर) पहले ही निकाले जा चुके हैं। ब्रिटिश सरकार ने भारत सरकार के एक अनुरोध के आधार पर उन खातों से रकम निकालने की मंजूरी दी थी। इस झंझट से निपटने में भारत सरकार को 160 करोड़ रुपए की और चपत लग गई।

तथापि 16 जनवरी, 2006 को सी.बी.आई. ने सुप्रीम कोर्ट के समक्ष दाखिल एक हलफनामे में दावा किया कि वे अभी भी क्वात्रोची के प्रत्यार्पण आदेश हासिल करने की कोशिश में लगे हुए हैं। सी.बी.आई. के अनुरोध पर इंटरपोल के पास बहुत समय से क्वात्रोची को गिरफ्तार करने का 'रेड कॉर्नर नोटिस' है। 6 फरवरी, 2007 को क्वात्रोची को अर्जेंटीना में हिरासत में लिया गया था, लेकिन उसने हिरासत में लिये जाने की खबर सी.बी.आई. को 23 फरवरी को दी। अर्जेंटीना की पुलिस द्वारा क्वात्रोची को रिहा कर दिया गया है। फिर भी उसका पासपोर्ट जब्त कर लिया गया और उसे देश छोड़कर जाने की इजाजत नहीं दी गई।

चूँकि भारत और अर्जेंटीना के बीच कोई प्रत्यर्पण संधि नहीं थी, यह मामला अर्जेंटीना की सुप्रीम कोर्ट में पेश किया गया। भारत सरकार प्रत्यर्पण का केस हार गई, क्योंकि भारत सरकार ने वह महत्त्वपूर्ण अदालती आदेश मुहैया नहीं कराया, जो क्वात्रोची की गिरफ्तारी का आधार था। नतीजा यह हुआ कि अदालत के फैसले का आधिकारिक अंग्रेजी अनुवाद प्राप्त करने में

देरी के कारण सरकार ने इस फैसले में अपील नहीं की। इतालवी व्यापारी का नाम अब सी.बी.आई. की उन व्यक्तियों की उस सूची में नहीं है जिनकी उसे तलाश है और बोफोर्स घूस कांड में एकमात्र जीवित संदिग्ध व्यक्ति के खिलाफ 12 वर्ष से चला आ रहा 'इंटरपोल रेड कॉर्नर नोटिस' सी.बी.आई. की अपील के बाद एजेंसी की वेबसाइट से हटा दिया गया है। दिल्ली की एक अदालत ने 4 मार्च, 2011 को क्वात्रोची को इस केस से बरी कर दिया, क्योंकि उसके खिलाफ कोई विश्वसनीय साक्ष्य नहीं था।

जे.एम.एम. घूस कांड (1993)

जुलाई 1993 में नरसिंह राव सरकार एक अविश्वास प्रस्ताव का सामना कर रही थी, क्योंकि विपक्ष का मानना था कि अपना बहुमत साबित करने के लिए उसके पास पर्याप्त संख्या नहीं है। यह आरोप लगाया गया था कि राव ने एक प्रतिनिधि के जरिए झारखंड मुक्ति मोर्चा (जे.एम.एम.) के सदस्यों और संभवत: जनता दल के अलग हुए एक गुट को भी, अविश्वास प्रस्ताव के दौरान उनके पक्ष में मत देने हेतु लाखों-करोड़ों रुपए देने का प्रस्ताव भेजा था। उनमें से एक सदस्य था शैलेंद्र महतो, जिसने रिश्वत ले ली थी। वह इकबालिया गवाह बन गया। सन् 1996 में, जब राव का कार्यकाल समाप्त हो चुका था, इस मामले में जाँच का काम गंभीरतापूर्वक शुरू हुआ। वर्ष 2000 में, अनेक वर्षों की कानूनी काररवाई के बाद, एक विशेष न्यायालय ने राव और उनके साथी बूटा सिंह (जो आरोपानुसार सांसदों को प्रधानमंत्री के पास लेकर गए थे) को दोषी ठहराया। राव ने इस फैसले के खिलाफ एक उच्च न्यायालय में अपील दायर की और वे जमानत पर मुक्त रहे। महतो के बयानों (जो बहुत अधिक असंगत थे) की विश्वसनीयता में संदेह के कारण ही फैसला उलट गया और वर्ष 2002 में राव तथा बूटा सिंह दोनों को आरोपों से बरी कर दिया गया।

हवाला कांड (1993)

यह एक भारतीय राजनीतिक घपला था, जिसमें आरोप था कि राजनीतिज्ञों को हवाला दलाल जैन बंधुओं के जरिए कथित भुगतान किया गया। यह 1.8 करोड़ अमेरिकी डॉलर का घूस कांड था, जिसका भंडाफोड़ सन् 1993 में हुआ। देश के कुछ प्रमुख राजनीतिज्ञों के साथ-साथ 115 उच्च-पदस्थ अधिकारियों

को भी इस घपले में सहभागी पाया गया। अदायगियों का संबंध, कथित रूप से, कश्मीर में हिजबुल मुजाहिदीन आतंकियों तक पहुँचाने से भी जोड़ा गया।

इस मामले को सुप्रीम कोर्ट में विनीत नारायण द्वारा दाखिल की गई एक जन हित याचिका (पब्लिक इंटरेस्ट लिटिगेशन) के फलस्वरूप एक क्षण के लिए बढ़ावा मिला। विनीत नारायण वह पत्रकार हैं, जिन्होंने इस किस्से का खुलासा किया। सन् 1996 में भारत के इतिहास में पहली बार कई कैबिनेट मंत्रियों, मुख्यमंत्रियों तथा राज्यपालों के विरुद्ध आरोप-पत्र जारी किए गए। अभियुक्तों में एल.के. आडवाणी, वी.सी. शुक्ल, पी. शिवशंकर, शरद यादव, बलराम जाखड़ और मदल लाल खुराना भी शामिल थे। इनमें से बहुतों को 1997 और 1998 में आरोपों से बरी कर दिया गया, अंशत: इसलिए, क्योंकि हवाला संबंधी रिकॉर्ड (डायरियों सहित), जो मुख्य साक्ष्य के रूप में अदालत में पेश किया गया था, पर्याप्त नहीं पाया गया। केंद्रीय जाँच ब्यूरो के हाथ लगी इस अभियोजन की विफलता की बहुत अधिक आलोचना हुई।

चारा घोटाला (1996)

भ्रष्टाचार का यह एक बहुत बड़ा कांड था। इसमें आरोप था कि भारतीय राज्य बिहार के सरकारी खजाने से करीब 950 करोड़ रुपए की राशि का गबन हुआ है। धन की यह कथित चोरी बहुत वर्षों से चल रही थी। बिहार राज्य सरकार के अनेक प्रशासनिक एवं निर्वाचित पदाधिकारियों से भरी पड़ी विविध सरकारी संस्थाओं (विरोधी राजनीतिक पार्टियों द्वारा संचालित) की इसमें मिलीभगत थी और 'नकली पशुधन के विशाल समूहों' का जाली रिकॉर्ड तैयार किया गया था, ताकि यह दिखाया जा सके कि उनके लिए चारा, दवाइयों और पशुपालन उपकरणों की खरीद की गई थी। यद्यपि इस कांड का भंडाफोड़ 1996 में हुआ, लेकिन यह चोरी दो दशक से भी अधिक समय से चल रही थी और दिनोंदिन बढ़ती जा रही थी।

इस मामले में एक जन हित याचिका (पी.आई.एल.) भारत के सर्वोच्च न्यायालय में दाखिल किए जाने तथा सर्वोच्च न्यायालय द्वारा मार्च 1996 में जारी किए गए निर्देशों के आधार पर इसमें अदालती हस्तक्षेप हुआ। बिहार उच्च न्यायालय ने आदेश दिया कि यह मामला सी.बी.आई. के हवाले कर दिया जाना चाहिए। सी.बी.आई. की जाँच से पता चला कि इस घपले के सूत्र उस समय गद्दी पर बैठे बिहार के मुख्यमंत्री लालू प्रसाद यादव से जाकर

जुड़ते हैं और 10 मई, 1997 को सी.बी.आई. ने बिहार के राज्यपाल से लालू पर मुकदमा चलाने का औपचारिक अनुरोध किया। उसी दिन हरीश खंडेलवाल नाम का एक व्यापारी, जो अभियुक्तों में से एक था, एक नोट के साथ रेल की पटरी पर मृत पाया गया। उस नोट में लिखा था कि अभियोजन में गवाह बनने के लिए सी.बी.आई. द्वारा उसपर दबाव डाला जा रहा है।

17 जून को राज्यपाल ने लालू तथा अन्य लोगों पर मुकदमा चलाने की मंजूरी दे दी। 23 जून को सी.बी.आई. ने लालू तथा 55 दूसरे सह-अभियुक्तों के खिलाफ आरोप-पत्र दाखिल कर दिए। इन अभियुक्तों में चंद्रदेव प्रसाद वर्मा (एक पूर्व केंद्रीय मंत्री), जगन्नाथ मिश्र (बिहार के पूर्व मुख्यमंत्री), लालू के मंत्रिमंडल के दो सदस्य (भोलाराम तूफानी और विद्यासागर निषाद), बिहार विधानसभा के तीन सदस्य (जनता दल के आर.के. राना, कांग्रेस पार्टी के जगदीश शर्मा एवं भारतीय जनता पार्टी के ध्रुव भगत) और कुछ वर्तमान तथा पूर्व आई.ए.एस. अधिकारी (उन 4 को मिलाकर, जो पहले से हिरासत में थे) शामिल थे। मिश्रा को बिहार के उच्च न्यायालय से अग्रिम जमानत मिल गई थी। किंतु उसी न्यायालय द्वारा लालू की अग्रिम जमानत याचिका खारिज कर दी गई और फिर लालू ने सुप्रीम कोर्ट का दरवाजा खटखटाया। वहाँ से भी लालू को कोई राहत नहीं मिली और अंततः 29 जुलाई को जमानत देने से इनकार कर दिया गया। उसी दिन बिहार राज्य पुलिस को लालू को गिरफ्तार करने का आदेश मिला। अगले दिन उन्हें जेल में डाल दिया गया।

लालू के इस्तीफे की माँग तेज होने लगी, जिसके चलते लालू ने 25 जुलाई को अपने पद से त्यागपत्र दे दिया। लेकिन उसी दिन वे अपनी पत्नी राबड़ी देवी को नया मुख्यमंत्री बनाने में सफल हो गए। 28 जुलाई को राबड़ी की नई सरकार ने बिहार विधानसभा में 194-110 से विश्वास मत हासिल कर लिया; क्योंकि कांग्रेस और झारखंड मुक्ति मोर्चा पार्टियों ने आर.जे.डी. के पक्ष में मतदान किया। इस बीच 30 जून को केंद्र सरकार ने निदेशक जोगिंदर सिंह को सी.बी.आई. से हटाकर गृह मंत्रालय में विशेष सचिव के पद पर नियुक्ति के आदेश जारी कर दिए, जो तकनीकी दृष्टि से तो एक पदोन्नति थी, लेकिन इसका तात्पर्य उन्हें जाँच से हटाना भी था। कहा जाता है कि उसके बाद क्षेत्रीय सी.बी.आई. निदेशक : यू.एन. बिस्वास का तबादला करने की भी पेशकश की गई थी, लेकिन ऐसे किसी कदम की आहट पाकर उच्च न्यायालय को यह चेतावनी जारी करनी पड़ी कि इस तरह के किसी तबादले

की मंजूरी अदालत नहीं देगा।

कई-कई मामलों में फँसे होने के कारण लालू यादव, जगन्नाथ मिश्र तथा अन्य अभियुक्तों को वर्ष 2000 से अब तक कई बार जेल भेजा जा चुका है। वर्ष 2007 में 58 पूर्व पदाधिकारियों तथा सप्लायरों को दोषी करार देते हुए प्रत्येक को 5 से 6 साल तक की सजा सुनाई गई। मई 2007 तक करीब 200 लोगों को 2 से 7 साल तक जेल की सजा दी जा चुकी थी।

टेलीकॉम-सुखराम घोटाला (1996)

तत्कालीन केंद्रीय संचार मंत्री सुखराम के नई दिल्ली और मंडी में स्थित घरों से नकदी से भरे सूटकेसों की जब्ती के बाद अगस्त 1996 में उनके खिलाफ दो मामले दायर किए गए थे। वे हिमाचल प्रदेश के मंडी निर्वाचन क्षेत्र से लोकसभा के सदस्य थे। उन्होंने पाँच बार विधानसभा का चुनाव और तीन बार लोकसभा का चुनाव जीतने का रिकॉर्ड कायम किया है।

अब उनकी आयु 84 वर्ष हो चुकी है और उन्हें अभी भी अदालत के चक्कर काटने पड़ रहे हैं। वह केस जिसमें उन्हें नरसिम्हा राव सरकार में अपने कार्यकाल के दौरान 4 करोड़ रुपए से अधिक की बेमेल परिसंपत्ति (आय के ज्ञात स्रोतों से कहीं बहुत अधिक) जमा करने का दोषी ठहराया गया था, 2005 में एक अपील दाखिल करने के बाद अभी तक दिल्ली उच्च न्यायालय में विचाराधीन है। दूसरे केस में सुखराम को 2002 में दोषी पाया गया था। इस मामले में उन्हें दूरसंचार उपकरण की खरीद में एक निजी कंपनी, एडवांस रेडियो मास (ए.आर.एम.) प्रा.लि., की तरफदारी करके राजकोष को 1.66 करोड़ रुपए की हानि पहुँचाने के जुर्म में तीन वर्ष के कठोर कारावास की सजा सुनाई गई थी। इसके अलावा उनपर 2 लाख रुपए का जुर्माना भी लगाया गया।

बराक मिसाइल घपला (2001)

यह मामला रक्षा विभाग में व्याप्त भ्रष्टाचार का है और भारत द्वारा इजराइल से बराक मिसाइल सिस्टम्स की खरीद से संबंध रखता है। फिलहाल केंद्रीय जाँच ब्यूरो द्वारा इसकी छानबीन की जा रही है और समता पार्टी के पूर्व कोषाधिकारी आर.के. जैन सहित कई लोग इस सिलसिले में गिरफ्तार किए जा चुके हैं। प्रथम सूचना रिपोर्ट में और जिन लोगों के नाम हैं, उसमें राजनीतिज्ञ

जॉर्ज फर्नांडीज एवं जया जेटली तथा शस्त्र व्यापारी एवं पूर्व-नौसेना अधिकारी सुरेश नंदा भी शामिल है, जो अवकाश-प्राप्त नौसेना प्रमुख एस.एम. नंदा का पुत्र है।

बराक मिसाइल प्रणाली (जिसका विकास इजराइल एयरक्राफ्ट इंडस्ट्रीज (आई.ए.आई.) और इजराइल की राफेल (RAFAEL) आर्मामेंट डिवेलपमेंट अथॉरिटी द्वारा संयुक्त रूप से लिया गया है) में एंटी-शिप सी-स्किमिंग अर्थात् पोत-प्रतिरोधी सागर-मथनी प्रक्षेपास्त्रों का प्रतिकार करने के लिए लंबवत् प्रवर्तित (वर्टिकल लांच्ड) मिसाइलों का इस्तेमाल होता है और यह विमान से हमला करती है। 23 अक्तूबर, 2000 को भारत सरकार ने 7 बराक सिस्टम और 200 मिसाइलें खरीदने के अनुबंध पर हस्ताक्षर किए थे, जिनकी कुल कीमत क्रमशः 199.50 मिलियन डॉलर और 69.13 मिलियन डॉलर थी। इसके बावजूद कि कई ग्रुपों और उस दल के सदस्यों समेत, जो दल मिसाइल का काम देखने के लिए शुरू-शुरू में इजराइल गया था, रक्षा अनुसंधान विकास संगठन के तत्कालीन प्रमुख ए.पी.जे. अब्दुल कलाम ने भी इस सौदे पर आपत्तियाँ उठाई थीं, यह सौदा किया गया। हालाँकि कुछ आपत्तियाँ प्रक्रिया संबंधी हैं, नौसेना अध्यक्ष सुशील कुमार से आजकल यह पूछताछ की जा रही है कि इन आपत्तियों पर विचार क्यों नहीं किया गया!

वर्ष 2001 में 'तहलका' द्वारा किए गए एक 'स्टिंग ऑपरेशन' में यह आरोप लगाया गया कि सरकार द्वारा किए गए 15 रक्षा सौदों में कुछ-न-कुछ घूस का हाथ अवश्य था और बराक मिसाइल सौदा भी उनमें से एक है।

'तहलका' ने दावा किया कि उसने बंगारू लक्ष्मण (सत्तारूढ़ दल भाजपा के तत्कालीन अध्यक्ष) को उस समय घूस लेते हुए कैमरे में कैद किया, जब वे बोगस कंपनी को सरकारी ठेके प्राप्त करने में मदद कर रहे थे। इस प्रक्रिया के दौरान 'तहलका' की भेंट समता पार्टी की अध्यक्षा और रक्षा मंत्री जॉर्ज फर्नांडीज की एक घनिष्ठ सहायक जया जेटली से भी हुई। जब इस घूस कांड का पर्दाफाश हुआ तो बड़ा शोर-शराबा हुआ और जॉर्ज फर्नांडीज ने इस्तीफा दे दिया, हालाँकि वे घूस लेने के आरोपी नहीं थे। बंगारू लक्ष्मण ने भी इस्तीफा दे दिया, जबकि जया जेटली ने 'तहलका' पर पाकिस्तानी एजेंट होने का आरोप लगाया और टेपों की प्रामाणिकता के बारे में संदेह जताए। टेपों को फोरेंसिक जाँच के लिए ब्रिटेन भेजा गया और उन्हें सही पाया गया।

कुछ समय बाद जॉर्ज फर्नांडीज सत्ता में लौट आए, और आरोपों की जाँच करने के लिए गठित जाँच समिति का काम वर्तमान न्यायाधीश के इस्तीफा देने पर रुक गया; जबकि उनके स्थान पर आए जज ने जो काम किया, वह बेअसर था और उसमें फोकस का अभाव था। सरकार ने उलटकर 'तहलका' को ही निशाना बनाया और उसकी जाँच के तरीके की जाँच शुरू कर दी। सीमा शुल्क विभाग, पुलिस और टैक्स प्राधिकारियों ने 'तहलका' की वित्तीय सहायता करनेवाले मुख्य-मुख्य लोगों को जाँच का निशाना बनाना शुरू कर दिया। सन् 2003 तक इस कंपनी में वैतनिक कर्मचारियों की संख्या 120 से घटकर 1 रह गई थी और कंपनी वास्तव में तबाह हो गई थी। रक्षा मंत्रालय के पदाधिकारियों के विरुद्ध जाँच-पड़ताल का काम वर्ष 2004 में दुबारा शुरू हुआ, जब कांग्रेस के नेतृत्ववाली सरकार ने सत्ता की बागडोर सँभाली और यह मामला केंद्रीय जाँच ब्यूरो (सी.बी.आई.) को सौंपा गया।

मधु कोड़ा : काला धन सफेद करने का घोटाला

10 अक्तूबर, 2009 को झारखंड के तत्कालीन मुख्यमंत्री मधु कोड़ा पर करीब 4,000 करोड़ रुपए के काले धन को सफेद करने का आरोप लगाया गया। प्रवर्तन निदेशालय द्वारा मारे गए देशव्यापी छापों में कथित रूप से 4,000 करोड़ रुपए की परिसंपत्ति सामने आई, जो उस राज्य के सालाना बजट के करीब पाँचवें हिस्से के बराबर था, जिस राज्य पर कभी उसने शासन किया था। उन परिसंपत्तियों में दूसरी चीजों के अलावा होटल थे, मुंबई में तीन कंपनियाँ थीं, कलकत्ता में संपत्ति, थाईलैंड में एक होटल और लाइबेरिया में एक कोयला खान भी शामिल थी। उसके दो करीबी सहयोगियों में एक विनोद सिन्हा जेल की सलाखों के पीछे है और संजय चौधरी भागकर दुबई चला गया है। मधु कोड़ा, किसी भी अन्य कैदी की तरह बिरसा मुंडा केंद्रीय कारागार, होलवाड़ में अपना समय काट रहे हैं।

मधु कोड़ा (जन्म 6 जनवरी, 1971) को झारखंड के पाँचवें मुख्यमंत्री के रूप में 18 सितंबर, 2006 को शपथ दिलाई गई थी और वह तब तक अपने पद पर रहे, जब उन्होंने 23 अगस्त, 2008 को अपना इस्तीफा दिया। उनके बाद शिबू सोरेन मुख्यमंत्री बने। मधु कोड़ा ने अपना राजनीतिक जीवन अखिल झारखंड छात्र संघ में एक कार्यकर्ता के रूप में आरंभ किया था। सन् 2000 में उसने भारतीय जनता पार्टी के एक प्रत्याशी के रूप में जगन्नाथपुर

से विधानसभा का चुनाव जीता। मुख्यमंत्री बाबूलाल मरांडी की सरकार में मधु कोड़ा ने पंचायती राज मंत्री का पद सँभाला। वह तब भी इस पद पर बने रहे जब 2003 में अर्जुन मुंडा ने बागडोर सँभाली।

सन् 2005 में झारखंड विधान सभा चुनावों के दौरान बीजेपी ने कोड़ा को टिकट देने से इनकार कर दिया। तब उसने एक स्वतंत्र प्रत्याशी के रूप में चुनाव लड़ा और वह फिर एक बार जगन्नाथपुर से विजयी हुआ। कोड़ा ने कांग्रेस के अपने निकटस्थ प्रतिद्वंद्वी को 10 हजार से अधिक मतों से हराया। राज्य में किसी भी पार्टी को पूर्ण बहुमत प्राप्त नहीं हुआ। ऐसी स्थिति में कोड़ा ने अर्जुन मुंडा के नेतृत्व में बीजेपी की सरकार को समर्थन देना मंजूर कर लिया और खान एवं भू-विज्ञान मंत्री के रूप में कार्यभार ग्रहण किया। सितंबर 2006 में मधु तथा अन्य तीन निर्दलीय विधायकों ने मुंडा सरकार से समर्थन वापस ले लिया, जिसके फलस्वरूप सरकार अल्पमत में आ गई। बाद में विपक्षी संयुक्त प्रगतिशील गठबंधन ने फैसला किया कि वह मुख्यमंत्री बनने का एक सर्वसम्मत प्रत्याशी है।

2जी स्पेक्ट्रम घोटाला

2जी स्पेक्ट्रम घोटाले में भारत सरकार के पदाधिकारियों एवं मंत्रियों ने फ्रीक्वेंसी एलोकेशन लाइसेंसों के लिए मोबाइल दूरभाष प्रणाली कंपनियों को लाभ पहुँचाने के इरादे से इन कंपनियों से अवैध तरीके से कम मूल्य चार्ज किया, जबकि संबंधित कंपनियों द्वारा इन लाइसेंसों का प्रयोग सैलफोनों के लिए 2जी शुल्क वसूल करने के प्रयोजन से किया जाएगा। नियंत्रक एवं महालेखा परीक्षक द्वारा प्रस्तुत की गई एक रिपोर्ट के अनुसार, जो 2जी लाइसेंसों से वसूली गई धनराशि पर आधारित थी, राजकोष को इससे 1,76,379 करोड़ रुपए (39.19 अरब अमेरिकी डॉलर) का नुकसान हुआ है।

2जी लाइसेंस जारी करने की घटना 2008 की है, लेकिन यह घोटाला तब प्रकाश में आया जब भारतीय आय कर विभाग ने राजनीतिक मताग्रहकर्ता (पॉलिटिकल लॉबिइस्ट) नीरा राडिया से पूछताछ की और भारत के सर्वोच्च न्यायालय ने सुब्रमण्यम स्वामी की शिकायतों को लिपिबद्ध किया (अर्थात् रिकॉर्ड में लिया)। एन.डी.ए. सरकार के पूर्व दूरसंचार मंत्री अरुण शौरी ने इस घोटाले का रहस्योद्घाटन करने और टेलीकॉम लाइसेंस जारी करने के बारे में यू.पी.ए. सरकार की नीति में अनेक खामियों को भी उघाड़ने में मदद पहुँचाई।

वर्ष 2008 में आय कर विभाग ने गृह मंत्रालय और प्रधानमंत्री कार्यालय (पी.एम.ओ.) से आदेश मिलने पर नीरा राडिया के टेलीफोन टेप करना शुरू कर दिया। यह इसलिए किया गया, ताकि उस मामले में चल रही जाँच में मदद मिल सके, जिसमें आरोप लगाया गया था कि नीरा राडिया ने एक जासूस के रूप में काम किया। 300 से अधिक दिनों तक रिकॉर्ड की गई बहुत सी बातचीत का सुराग मीडिया को दे दिया गया। मीडिया के हाथ लगे टेपों को लेकर उत्पन्न प्रचंड विवाद को मीडिया ने 'राडिया टेप विवाद' का नाम दिया। इन टेपों में राजनीतिज्ञों, पत्रकारों और कॉरपोरेशन के बीच बातचीत के कुछ अंश थे। टेपों में रिकॉर्ड की गई बातचीत में करुणानिधि जैसे राजनीतिज्ञों, बरखा दत्त, वीर सांघवी और प्रभु चावला जैसे पत्रकारों तथा टाटा ग्रुप जैसे औद्योगिक समूहों का जिक्र था। वे बातचीत में या तो शामिल थे या उनका जिक्र भर था।

राजा ने 2जी स्पेक्ट्रम लाइसेंसों को उनके बाजार मूल्य से कम कीमत पर बेचने की योजना बनाई। नाममात्र की परिसंपत्ति रखनेवाली एक नई कंपनी स्वान टेलीकॉम ने 1,537 करोड़ रुपए में एक लाइसेंस खरीद लिया। उसके कुछ ही समय बाद बोर्ड ने कंपनी का 45 प्रतिशत हिस्सा 4,200 करोड़ रुपए में एटिसलैट को बेच दिया। इसी प्रकार कंपनी ने इससे पहले भू-संपत्ति में निवेश किया था, न कि टेलीकॉम में। यूनीटेक ग्रुप ने एक लाइसेंस 1,661 करोड़ रुपए में खरीदा और कुछ ही समय बाद कंपनी ने अपने वायरलेस डिवीजन का 60 प्रतिशत हिस्सा 6,200 करोड़ रुपए में टेलिनॉर को बेच दिया।

लाइसेंसों की बिक्री का स्वरूप ऐसा था कि ये लाइसेंस उनके बाजार मूल्य पर बेचे जाने थे और जिस बड़े लाभ पर उन्हें बहुत जल्द दुबारा बेच दिया गया, उससे यह पता चलता है कि बिक्री एजेंटों को ये लाइसेंस बाजार मूल्य से कम कीमत पर जारी किए गए थे। नौ कंपनियों ने लाइसेंस खरीदे और उन सबने कुल मिलाकर संचार एवं सूचना प्रौद्योगिकी मंत्रालय के दूरसंचार प्रभाग को 10,772 करोड़ रुपए का भुगतान किया। भारत के नियंत्रक एवं महालेखा परीक्षक के अनुमान के अनुसार, इस लाइसेंस बिक्री से 1,76,700 करोड़ रुपए की प्राप्ति होनी चाहिए थी।

नवंबर 2010 के शुरुआत में जयललिता ने तमिलनाडु राज्य के मुख्यमंत्री एम. करुणानिधि पर ए. राजा को भ्रष्टाचार के आरोपों से बचाने का इलजाम लगाया और ए. राजा के इस्तीफे की माँग की। मध्य नवंबर आते-आते ए.

राजा ने इस्तीफा दे दिया। मध्य नवंबर में नियंत्रक विनोद राय ने यूनीटेक, एस. टेल, लूप मोबाइल, डाटाकॉम (वीडियोफोन) और एटिसलैट को कारण बताओ नोटिस जारी किए और अपने इस दावे का जवाब माँगा कि इन कंपनियों को प्रदान किए गए सभी 85 लाइसेंसों के लिए आवेदन के समय उनके पास अपेक्षित अग्रिम पूँजी (अप-फ्रंट कैपिटल) नहीं थी और वे अन्य प्रकार से अवैध थे। कुछ मीडिया स्रोतों का खयाल है कि इन कंपनियों पर बड़ा जुर्माना लगेगा, लेकिन उनके लाइसेंस रद्द नहीं होंगे; क्योंकि वे फिलहाल कुछ ग्राहक सेवा प्रदान कर रही हैं। विभिन्न आरोपों के जवाब में सरकार ने तत्कालीन टेलीकॉम मंत्री ए. राजा के स्थान पर कपिल सिब्बल को नियुक्त किया, जिन्होंने केंद्र सरकार में मानव संसाधन विकास मंत्री होते हुए यह अतिरिक्त कार्यभार ग्रहण किया। सिब्बल का कहना है कि जिन 'कल्पित' हानियों की बात कही जा रही है, वह त्रुटिपूर्ण गणनाओं का एक परिणाम है। और वे जोर देकर कहते हैं कि वास्तविक हानि 'शून्य' है।

सी.बी.आई. ने ए. राजा और चार अन्य टेलीकॉम अर्थात् दूरसंचार पदाधिकारियों—पूर्व दूरसंचार सचिव सिद्धार्थ बेहुरा, राजा के वैयक्तिक सचिव आर.के. चंदोलिया, सदस्य दूरसंचार के. श्रीधर और डी.ओ.टी. उप-महानिदेशक ए.के. श्रीवास्तव के यहाँ 8 दिसंबर, 2010 को छापे मारे। 2 फरवरी, 2011 को सी.बी.आई. ने ए. राजा, आर.के. चंदोलिया (राजा के वैयक्तिक सचिव) और पूर्व दूरसंचार सचिव सिद्धार्थ बेहुरा को गिरफ्तार कर लिया। ए. राजा और आर.के. चंदोलिया, दोनों को रिलीज किए गए राडिया टेपों में बात करते सुना गया है। 8 फरवरी, 2011 को सी.बी.आई. ने मुंबई स्थित डाइनेमिक्स बल्वाज (डी.बी.) ग्रुप के मैनेजिंग डायरेक्टर शाहिद उस्मान बलवा को 2जी स्पेक्ट्रम आवंटन घोटाले के सिलसिले में गिरफ्तार कर लिया। सी.बी.आई. के पास आय कर विभाग से प्राप्त यह सबूत है कि शाहिद उस्मान बलवा, जिसे ए. राजा का करीबी माना जाता है, पूर्व टेलीकॉम मंत्री द्वारा कथित रूप से ली गई घूस की रकम को इधर-इधर ठिकाने लगाने में मददगार बना हुआ था। 29 मार्च, 2011 को सी.बी.आई. ने दिल्ली में आसिफ बलवा (बंदी बनाए गए, डी.बी.-एटिसलैट ग्रुप के पूर्व मैनेजिंग डायरेक्टर शाहिद बलवा का छोटा भाई) और राजीव अग्रवाल को गिरफ्तार कर लिया, क्योंकि उनपर आरोप था कि रकम को द्रविण मुन्नेत्र कषगम (डी.एम.के.) के कलैनार टी.वी. चैनल को अंतरित करने में उनका हाथ है।

2 अप्रैल, 2011 को सी.बी.आई. ने 2जी स्पेक्ट्रम घोटाले में 80,000 पृष्ठ की अपनी पहली रिपोर्ट दिल्ली में एक विशेष अदालत के सामने पेश की, जिसमें नौ व्यक्तियों और तीन कंपनियों के नाम थे। रिपोर्ट में कहा गया कि अभियुक्तों के गलत कृत्यों के कारण सरकारी खजाने को 30,985 करोड़ रुपए की अनुमानित आय का नुकसान हुआ। अभियुक्तों के नाम इस प्रकार हैं— ए. राजा, गिरफ्तार पूर्व संचार मंत्री; सिद्धार्थ बेहुरा, गिरफ्तार पूर्व टेलीकॉम सचिव; आर.के. चंदोलया, ए. राजा के गिरफ्तार पूर्व वैयक्तिक सचिव; शाहिद उस्मान बलवा, गिरफ्तार भूतपूर्व डायरेक्टर स्वान टेलीकॉम (अब एटिसलैट डी.बी.), संजय चंद्रा, यूनीटेक लि. और यूनीटेक वायरलेस के मैनेजिंग डायरेक्टर, गौतम दोशी, ग्रुप एम.डी., रिलायंस अनिल धीरूभाई अंबानी ग्रुप; हरि नायर, सीनियर वाइस प्रेसीडेंट, रिलायंस अनिल धीरूभाई अंबानी ग्रुप और रिलायंस टेलीकॉम लि.; विनोद गोयनका, डायरेक्टर स्वान टेलीकॉम और डी.बी. रियलिटी के मैनेजिंग डायरेक्टर। तीन कंपनियों के नाम इस प्रकार हैं—स्वान टेलीकॉम, यूनीटेक वायरलेस और रिलायंस टेलीकॉम पहली चार्जशीट (आरोप-पत्र) में सी.बी.आई. ने नीरा राडिया तथा 124 अन्य लोगों के नाम गवाहों के रूप में दिए थे।

आदर्श हाउसिंग सोसाइटी घोटाला

आदर्श हाउसिंग सोसाइटी भारत में मुंबई शहर में एक को-ऑपरेटिव सोसाइटी है। यह सोसाइटी युद्ध विधवाओं तथा कारगिल युद्ध के निवृत्त सैनिकों के लिए आरक्षित थी। सन् 2010 में भारतीय जनसंचार माध्यम ने आदर्श सोसाइटी में निर्माण के विभिन्न चरणों में नियमों के उल्लंघन की ओर ध्यान दिलाया। उस इमारत में जिस ढंग से फ्लैटों का आवंटन उन अफसरों, राजनीतिज्ञों और सैनिकों को किया गया, जिनका कारगिल युद्ध से कोई वास्ता नहीं था और जिस तरीके से आदर्श सोसाइटी की बिल्डिंग के निर्माण के लिए मंजूरी प्राप्त की गई, उस तरीके पर सवाल उठाए गए।

आदर्श सोसाइटी की ऊँची इमारत का निर्माण मुंबई की उच्च वर्गीय कोलाबा बस्ती में किया गया था। इस बस्ती को भारतीय रक्षा बलों द्वारा एक नाजुक तटीय क्षेत्र माना जाता है और इस क्षेत्र में विभिन्न भारतीय रक्षा प्रतिष्ठान मौजूद हैं। आरोप यह है कि सोसाइटी ने भारतीय पर्यावरण मंत्रालय के नियमों का उल्लंघन किया है। मेधा पाटेकर जैसे अनेक सामाजिक कार्यकर्ता लंबे समय

से इस घोटाले का पर्दाफाश करने की कोशिश कर रहे हैं। इस घोटाले में राजनीतिज्ञों, अफसरशाहों और भवन निर्माताओं के बीच घृणित साँठ-गाँठ को किसी बहुत बड़े कुचक्र का अंश मात्र बताया जाता है। इसका भंडाफोड़ होने के परिणामस्वरूप तत्कालीन मुख्यमंत्री अशोक चव्हाण को अपने पद से इस्तीफा देना पड़ा।

अनियमितताओं की जाँच करने के लिए सेना और सरकार द्वारा कई जाँच समितियाँ बनाई गई हैं। आदर्श को-ऑपरेटिव सोसाइटी इमारत में कुछ फ्लैटों में रहनेवालों ने जल्द-से-जल्द अपने-अपने फ्लैट खाली करने की पेशकश की है और इन आरोपों से इनकार किया है कि उन्हें फ्लैट इसलिए मिले, क्योंकि उन्होंने नियमों का उल्लंघन करते हुए सोसाइटी के निर्माण में प्रभाव का इस्तेमाल किया या मदद की। मीडिया ने यह खुलासा भी किया कि भारतीय संसद् के निचले सदन को घोटाले में शामिल एक उच्चाधिकारी प्रदीप व्यास द्वारा गुमराह किया गया।

पर्यावरण एवं वन मंत्रालय के दिनांक 16 जनवरी, 2011 के आदेश के अनुसार अनधिकृत निर्माण को पूरी तरह हटा दिया जाना चाहिए और इस क्षेत्र को उसकी मौलिक स्थिति में बहाल किया जाना चाहिए।

□

4

भ्रष्टाचार के विरुद्ध कानून और कारवाई

सरकार और उन सामाजिक कार्यकर्ता समूहों के बीच, जिनका नेतृत्व अब अन्ना हजारे कर रहे हैं, मुकाबले की लड़ाई ने लोकपाल बिल के मुद्दे को सबसे आगे लाकर रख दिया है अथवा यह कहें कि अत्यंत महत्त्वपूर्ण बना दिया है। भारत में लोकपाल का अर्थ होता है—'ओम्बड्समैन'। यह शब्द हिंदी के शब्दों 'लोक' (लोग/अंग्रेजी में 'पीपॅल') और 'पाल' (रक्षक/देखभाल करने वाला) से मिलकर बना है। लोकपाल की संकल्पना, प्रकट रूप से, भारतीय शासन-प्रणाली में उच्च ओहदों पर व्याप्त भ्रष्टाचार को समाप्त करने के उद्देश्य से की गई है।

लोकपाल जैसी संस्था बनाने का विचार उन देशों से हमने लिया है, जहाँ 'ओम्बड्समैन' नियुक्त करने की व्यवस्था है, जैसे कि फिनलैंड, नॉर्वे, डेनमार्क, स्वीडन, ब्रिटेन और न्यूजीलैंड। 1995 में यूरोपीय यूनियन के यूरोपीय ओम्बड्समैन का पद बनाया। वर्तमान में करीब 140 देशों में ओम्बड्समैन (अर्थात् लोकपाल) के कार्यालय हैं। ओम्बड्समैन एक संस्था है, जो न्यायपालिका, कार्यपालिका और विधायिका से स्वतंत्र अस्तित्व रखती है और उसका दर्जा किसी उच्च न्यायिक अधिकारी के बराबर होता है। वह अपनी जाँच का तरीका और एजेंसी चुनने के लिए अधिकतर स्वतंत्र रूप से काम करता है। उसके कार्यालय का व्यय संसद् के नियंत्रणाधीन होता है। स्वीडन, डेनमार्क और फिनलैंड में ओम्बड्समैन का कार्यालय नागरिकों की शिकायतों का निवारण जनता से शिकायत सीधे ही लेकर कर सकता है या अपनी तरफ से कदम उठाकर। तथापि ब्रिटेन में संसदीय आयुक्त का कार्यालय लोगों की शिकायतें संसद् सदस्यों के जरिए ही प्राप्त कर सकता

है (क्योंकि नागरिक संसद् सदस्यों को शिकायत कर सकते हैं)। स्वीडन और फिनलैंड में भी लोकपाल कार्यालय को गलती करनेवाले सरकारी कर्मचारियों को दंडित करने का अधिकार है।

42 साल के बाद लोकपाल बिल भारत में अभी तक विचाराधीन है। पहला लोकपाल बिल सन् 1969 में लोकसभा में पारित हुआ था, लेकिन राज्यसभा में वह पास नहीं हो सका। बाद में वर्ष 1172, 1977, 1985, 1989, 1996, 1998, 2001, 2005 और 2008 में लोकपाल बिल पेश किए गए, फिर भी वे कभी पारित नहीं हुए।

लोकपाल बिल के अंतर्गत प्रधानमंत्री, अन्य मंत्रियों तथा सांसदों के विरुद्ध भ्रष्टाचार की शिकायतें लोकपाल को प्रस्तुत करने की व्यवस्था है। प्रशासनिक सुधार समिति (ए.आर.सी.) ने लोकपाल के गठन की सिफारिश करते समय इस बात को माना था कि ऐसी एक संस्था का होना औचित्यपूर्ण है, क्योंकि यह न केवल बुरी तरह प्रभावित नागरिकों के मन से अन्याय की भावना को दूर करने में सहायक सिद्ध होगी बल्कि प्रशासनिक तंत्र की कार्य-कुशलता में लोगों का विश्वास बैठाने के लिए भी इसका होना आवश्यक है। इसके बाद लोकपाल बिल पहली बार सन् 1968 में चौथी लोकसभा के दौरान पेश किया गया और 1969 में वहाँ पास हो गया।

किंतु जब यह बिल राज्यसभा में विचाराधीन था, तभी लोकसभा भंग कर दी गई, जिसके फलस्वरूप बिल स्वतः समाप्त हो गया। लोकपाल बिल पुनः वर्ष 1971, 1977, 1985, 1996, 1998, 2001 और 2005 तथा हाल ही में 2008 में पेश किया गया; लेकिन हर बार—जब भी यह बिल सदन में पेश हुआ, इसे सुधार के लिए किसी-न-किसी समिति—संसद् की एक संयुक्त समिति अथवा गृह मंत्रालय की एक विभागीय समिति—के पास भेज दिया गया और इससे पहले कि सरकार इस विषय पर कोई अंतिम निर्णय ले पाती, सदन भंग हो गया। हाल के लोकपाल बिल के प्रारूप में कई दोष बताए गए हैं।

केंद्र सरकार द्वारा की गई कारवाई

केंद्र सरकार भ्रष्टाचार से निपटने के लिए कोई व्यवस्था कायम करने हेतु एक लोकपाल बिल पेश करने पर विचार कर रही है। वर्तमान में, लोक सेवकों (सरकारी कर्मचारियों, जजों, सशस्त्र बलों, पुलिस इत्यादि) पर भारतीय दंड संहिता, 1860 और भ्रष्टाचार निवारण अधिनियम, 1998 के तहत मुकदमा चलाया

जा सकता है। तथापि अपराध प्रक्रिया संहिता और अधिनियम के अनुसार, जाँच एजेंसी (जैसे कि सी.बी.आई.) को किसी न्यायालय में मुकदमा चलाने से पहले केंद्र या राज्य सरकार की मंजूरी लेना आवश्यक है।

सन् 1998 में सुप्रीम कोर्ट ने पी.वी. नरसिम्हा राव रिश्वत कांड में यह फैसला दिया कि संसद् सदस्य, जहाँ तक भ्रष्टाचार निवारण अधिनियम, 1988 का संबंध है, 'जन सेवक' की परिभाषा के अंतर्गत आते हैं। किंतु पूर्व अनुमति या मंजूरी के विषय पर न्यायाधीशों की राय अलग-अलग थी। एक पक्ष का विचार था कि सांसदों पर अभियोग नहीं चलाया जा सकता है, क्योंकि उसकी मंजूरी देने के लिए कोई सक्षम प्राधिकारी नहीं है और दूसरा मत यह था कि जब तक कानून में उपयुक्त संशोधन नहीं होता है, लोकसभा के अध्यक्ष और राज्यसभा के सभापति से आवश्यक स्वीकृति मिलनी चाहिए।

लोगों की शिकायतों की जाँच करने हेतु लोकपाल (ओम्बड्समैन) जैसी एक संस्था गठित करने का विचार पहली बार सन् 1963 में विधि मंत्रालय के लिए अनुदान माँगों पर बहस के दौरान व्यक्त किया गया था। सन् 1966 में प्रथम 'प्रशासनिक सुधार आयोग' ने सिफारिश की थी कि सरकारी पदाधिकारियों (संसद् सदस्यों सहित) के विरुद्ध शिकायतों की जाँच-पड़ताल करने के लिए केंद्र और राज्य स्तर पर दो स्वतंत्र प्राधिकरण बनाए जाने चाहिए।

लोकपाल बिल पहली बार सन् 1968 में पेश किया गया, लेकिन लोकसभा भंग होने के साथ ही यह समाप्त हो गया। फिर यह बिल और सात बार संसद् में लाया गया, अंतिम बार वर्ष 2001 में। किंतु यह बिल सन् 1985 को छोड़कर हर बार मंसूख अर्थात् समाप्त हो गया। सन् 1985 में यह वापस ले लिया गया था। राज्य स्तर पर अब तक 18 राज्यों ने लोकायुक्त अधिनियमों के जरिए लोकायुक्त कार्यालय स्थापित कर लिये हैं।

सन् 2002 में संविधान की कार्य-प्रणाली की समीक्षा करनेवाले राष्ट्रीय आयोग की रिपोर्ट में इस बात पर बल दिया गया कि संविधान में केंद्र में लोकपाल और राज्यों में लोकायुक्तों की नियुक्ति करने की व्यवस्था होनी चाहिए; लेकिन साथ में यह सुझाव भी था कि प्रधानमंत्री को उस प्राधिकारी के दायरे से बाहर रखा जाना चाहिए। वर्ष 2004 में यू.पी.ए. सरकार के 'राष्ट्रीय सामान्य न्यूनतम कार्यक्रम' (नेशनल कॉमन मिनिमम प्रोग्राम) में वचन दिया गया कि लोकपाल बिल पारित किया जाएगा। सन् 2005 में गठित 'द्वितीय प्रशासनिक सुधार आयोग' ने भी यह सिफारिश की कि लोकपाल कार्यालय की स्थापना अविलंब की जानी

चाहिए। जनवरी 2011 में सरकार ने श्री प्रणव मुखर्जी की अध्यक्षता में एक मंत्री-समूह गठित किया, जिसे लोकपाल बिल के प्रस्ताव की जाँच के साथ-साथ ऐसे उपाय सुझाने का कार्य भी सौंपा गया, जो भ्रष्टाचार से निपटने में कारगर सिद्ध हो सकें।

कई आयोगों ने लोकपाल पद के विभिन्न पहलुओं के बारे में सिफारिशें की हैं, जिनमें नियुक्ति की प्रक्रिया, जाँच के अधिकारों और मुकदमा चलाने के अधिकारों से संबंधित सिफारिशें भी शामिल हैं।

प्रथम प्रशासनिक सुधार आयोग (2006)

- एक नागरिक को सरकार के प्रशासनिक कार्यों के विरुद्ध शिकायत के निवारण की माँग करने का अधिकार है। वह या तो अदालत का सहारा ले सकता है या अपने संसद् सदस्य को याचिका देने जैसे उपायों का प्रयोग कर सकता है। किंतु ये उपाय सीमित हैं, क्योंकि वे अत्यंत कष्टप्रद हो सकते हैं या विशिष्ट शिकायतों का निदान शायद न कर सकें। अत: एक ऐसी अधिक कारगर और अधिक सरल व्यवस्था की आवश्यकता है, जो प्रशासन के खिलाफ नागरिकों की विशिष्ट शिकायतों का निवारण कर सके।
- प्रत्येक सरकारी विभाग में शिकायतें लेने और उनकी जाँच करने तथा उपचार मुहैया कराने के लिए प्रशासनिक प्रक्रिया को सक्रिय करने हेतु कोई उपयुक्त व्यवस्था अवश्य होनी चाहिए। कष्ट-निवारण के लिए दो स्वतंत्र प्राधिकारी भी होने चाहिए—(क) लोकपाल, जो केंद्र और राज्य में मंत्रियों अथवा सरकार के सचिवों के प्रशासनिक कृत्यों के विरुद्ध शिकायतों की जाँच-पड़ताल करेगा और (ख) प्रत्येक राज्य में तथा केंद्र में लोकायुक्त कार्यालय, जो अन्य पदाधिकारियों के प्रशासनिक कृत्यों के विरुद्ध शिकायतों की जाँच कर आवश्यक कारवाई करेगा।
- ये प्राधिकारी कार्यपालिका एवं विधायिका तथा न्यायपालिका के अधीन न होकर स्वतंत्र होने चाहिए। लोकपाल की नियुक्ति प्रधानमंत्री की सलाह पर राष्ट्रपति द्वारा की जानी चाहिए। प्रधानमंत्री इस सिलसिले में भारत के मुख्य न्यायाधीश और विपक्ष के नेता से परामर्श करेंगे। लोकपाल का दर्जा वही होगा, जो भारत के मुख्य न्यायाधीश का होता है और उसे केवल महाभियोग द्वारा हटाया जा सकता है। लोकायुक्त

को वही शक्तियाँ प्राप्त होंगी, जो उच्च न्यायालय के मुख्य न्यायाधीश की होती हैं। उनकी नियुक्ति, यथासंभव, अराजनीतिक होनी चाहिए।

- लोकपाल या तो किसी प्रभावित नागरिक द्वारा की गई शिकायत पर या अपने ही संज्ञान के आधार पर कारवाई कर सकता है। वह कुप्रशासन से संबंधित मामलों की जाँच करेगा, जिनमें अन्याय, भ्रष्टाचार और पक्षपात करने के कार्य आते हैं। जाँच एवं कारवाई एकांत में की जानी चाहिए और अनौपचारिक होनी चाहिए।
- कोई शिकायत प्राप्त होने पर लोकपाल निर्णय करेगा कि वह जाँच के लायक है या नहीं। उसके बाद उस शिकायत पर संबंधित विभाग से प्रतिक्रिया माँगी जाएगी। रिपोर्ट मिलने पर लोकपाल फैसला करेगा कि उसकी तरफ से आगे कारवाई की आवश्यकता है या नहीं। अगर वह जाँच करता है और पाता है कि अन्याय किया गया है तो वह विभाग को सुधारात्मक कारवाई का सुझाव देगा। अगर विभाग उस सुझाव पर अमल नहीं करता है तो लोकपाल प्रधानमंत्री या मुख्यमंत्री को रिपोर्ट कर सकता है, जिन्हें दो माह के अंदर वापस रिपोर्ट देनी होगी। अगर वह उससे संतुष्ट नहीं है तो वह इसे संसद् या विधायिका के नोटिस में ला सकता है। अगर उसमें किसी सरकारी पदाधिकारी के विरुद्ध आपराधिक आरोप हैं तो वह उस रिपोर्ट को प्रधानमंत्री या मुख्यमंत्री के ध्यान में ला सकता है, और तब वे कानूनी तंत्र को हरकत में ला सकते हैं तथा लोकपाल को सूचित कर सकते हैं।

संविधान की कार्य-प्रणाली की समीक्षा के लिए राष्ट्रीय आयोग (2002)

- संविधान में लोकपाल की नियुक्ति के बारे में व्यवस्था होनी चाहिए। किंतु प्रधानमंत्री का पद लोकपाल के दायरे से बाहर रखा जाना चाहिए।
- इसके निष्कर्ष अंतिम होंगे और उनके आधार पर सरकार को कारवाई करनी होगी।
- संविधान में राज्यों के लिए लोकायुक्त की संस्था स्थापित करना अनिवार्य कर दिया जाना चाहिए।
- संविधान में संशोधन द्वारा यह व्यवस्था की जानी चाहिए कि संसद् सदस्यों को किसी विशेष ढंग से मतदान करने या मतदान न करने के

लिए मौद्रिक या अन्य बहुमूल्य पुरस्कार देने अथवा प्राप्त करने के अपराध के लिए अभियोजित किया जा सकता है—अर्थात् उनपर मुकदमा चलाया जा सकता है।

• राष्ट्रपति द्वारा गठित एक समिति से जाँच एजेंसी को पूर्व स्वीकृति प्राप्त हो जाने के बाद संसद् सदस्य पर अभियोग चलाया जा सकता है। उस समिति में पाँच संसद् सदस्य होंगे, जिन्हें राष्ट्रपति द्वारा लोकसभा अध्यक्ष और राज्यसभा के सभापति के परामर्श से नामित किया जाएगा।

द्वितीय प्रशासनिक सुधार आयोग (2007)
लोकपाल

• संविधान में संशोधन द्वारा एक 'राष्ट्रीय ओम्बड्समैन' अर्थात् 'राष्ट्रीय लोकायुक्त' बनाने की व्यवस्था की जानी चाहिए। राष्ट्रीय लोकायुक्त की भूमिका और अधिकार-क्षेत्र को संविधान में परिभाषित किया जाना चाहिए; जबकि गठन, नियुक्ति की पद्धति तथा अन्य विवरण विधेयक के जरिए संसद् द्वारा तय किए जा सकते हैं।

• राष्ट्रीय लोकायुक्त के अधिकार-क्षेत्र के दायरे में मंत्रियों (प्रधानमंत्री को छोड़कर), मुख्यमंत्रियों और संसद् सदस्यों को भी लिया जाना चाहिए। अगर जाँच-पड़ताल से किसी अन्य सरकारी पदाधिकारी की अंतर्ग्रस्तता साबित होती है तो वह ऐसे सरकारी कर्मचारियों के विरुद्ध भी जाँच कर सकता है।

• प्रधानमंत्री को राष्ट्रीय लोकायुक्त के अधिकार-क्षेत्र के बाहर रखा जाना चाहिए।

• राष्ट्रीय लोकायुक्त में सर्वोच्च न्यायालय के किसी सेवारत या अवकाश प्राप्त न्यायाधीश को अध्यक्ष के रूप में नियुक्त किया जाना चाहिए। किसी प्रतिष्ठित विधिवेत्ता को सदस्य की हैसियत से लिया जाना चाहिए और केंद्रीय सतर्कता आयुक्त को पदेन सदस्य बनाया जाना चाहिए।

• राष्ट्रीय लोकायुक्त के अध्यक्ष और सदस्यों का चयन एक समिति करेगी, जिसमें उपराष्ट्रपति, प्रधानमंत्री, विपक्ष के नेता के अलावा लोकसभा अध्यक्ष और भारत के मुख्य न्यायाधीश भी होंगे। अध्यक्ष और सदस्य की नियुक्ति तीन वर्ष की अवधि के केवल एक कार्यकाल के लिए की जानी चाहिए और बाद में उन्हें कोई सरकारी पद ग्रहण नहीं करना चाहिए—

सिवाय इसके कि वे भारत के मुख्य न्यायाधीश बन सकते हैं।

लोकायुक्त

- संविधान के अंतर्गत राज्य सरकारों के लिए लोकायुक्त संस्था की स्थापना करना अनिवार्य होना चाहिए और उसकी संरचना, शक्ति एवं कार्यों को निर्धारित किया जाना चाहिए।
- लोकायुक्त एक बहु-सदस्यीय समिति होनी चाहिए; एक न्यायालयिक सदस्य उसका अध्यक्ष होगा, एक प्रतिष्ठित विधिवेत्ता या प्रतिष्ठित प्रशासक इस समिति का सदस्य होगा और राज्य सतर्कता आयोग के प्रमुख को पदेन सदस्य बनाया जाएगा।
- लोकायुक्त के अध्यक्ष और सदस्य का चयन एक समिति करेगी। इस समिति में मुख्यमंत्री, उच्च न्यायालय का मुख्य न्यायाधीश और विधान सभा में विपक्ष का नेता शामिल होगा। उप-लोकायुक्त बनाने की कोई आवश्यकता नहीं है।
- लोकायुक्त के अध्यक्ष और सदस्यों की नियुक्ति केवल एक कार्यकाल के लिए की जानी चाहिए और उसके बाद उन्हें सरकार के अधीन कोई सरकारी पद ग्रहण नहीं करना चाहिए।
- जाँच-पड़ताल करने के लिए लोकायुक्त के पास अपने इंतजाम होने चाहिए। आरंभ में यह कार्यालय राज्य सरकार से अधिकारियों को प्रतिनियुक्ति पर ले सकता है। लेकिन लगभग पाँच वर्ष के बाद इसे अपने कर्मचारी भरती करने के लिए कदम उठाने होंगे और उन कर्मचारियों को उचित रूप से प्रशिक्षित करना होगा।
- भ्रष्टाचार के सभी मामले राष्ट्रीय लोकायुक्त या राज्य लोकायुक्त को भेजे जाने चाहिए, न कि किसी जाँच आयोग को।
- लोकायुक्त के अधिकार-क्षेत्र में केवल भ्रष्टाचार के मामले आएँगे। उन्हें सामान्य लोक शिकायतों की जाँच नहीं करनी होगी। लोकायुक्त को मंत्रियों एवं विधायकों के खिलाफ भ्रष्टाचार के मामलों से भी निपटना होगा।
- प्रत्येक राज्य में राज्य सरकार के पदाधिकारियों के विरुद्ध भ्रष्टाचार के मामलों की जाँच करने के लिए एक राज्य सतर्कता आयोग का गठन होना चाहिए। आयोग में तीन सदस्य होने चाहिए और उनके कार्य वही होंगे, जैसे कार्य केंद्रीय सतर्कता आयोग के सदस्यों को करने होते हैं।

भ्रष्टाचार-निरोधक कार्यालयों को 'राज्य सतर्कता आयोग' के नियंत्रणाधीन लाया जाना चाहिए।

स्थानीय स्तर पर ओम्बड्समैन (लोकपाल) कार्यालय

- जिलों के एक समूह के लिए एक स्थानीय निकाय लोकपाल (ओम्बड्समैन) बनाया जाना चाहिए, जो स्थानीय निकायों के पदाधिकारियों के विरुद्ध मामलों की जाँच करेगा। राज्य पंचायत राज अधिनियमों और शहरी स्थानीय निकाय अधिनियमों को संशोधित किया जाए, ताकि उनमें यह व्यवस्था सम्मिलित की जा सके।

- स्थानीय निकाय लोकपाल को स्थानीय स्वशासन के अधिकारियों के विरुद्ध भ्रष्टाचार या कुप्रशासन के मामलों की जाँच करने और काररवाई करने के लिए सक्षम प्राधिकारी को रिपोर्ट प्रस्तुत करने का अधिकार होना चाहिए। सक्षम प्राधिकारी को, सामान्यतः, प्रस्तुत सिफारिश के अनुसार काररवाई करनी चाहिए। अगर वे उन सिफारिशों से सहमत नहीं होते हैं तो उन्हें लिखित में कारण बताने होंगे और उन कारणों को सार्वजनिक करना होगा।

जाँच और अभियोजन

- राज्य सतर्कता आयोगों और लोकायुक्तों को भ्रष्टाचार से संबंधित अभियोजन (अर्थात् भ्रष्टाचार के दोषी लोगों पर मुकदमा चलाने) का परिवीक्षण करना चाहिए।

- जाँच एजेंसियों को विविध अनुशासनिक कुशलताओं से युक्त होना चाहिए और उन्हें विभिन्न विभागों की कार्य प्रणाली की पूरी-पूरी जानकारी होनी चाहिए। जाँच में आधुनिक तकनीकों का इस्तेमाल किया जाना चाहिए, जैसे कि इलेक्ट्रॉनिक निगरानी, आकस्मिक निरीक्षणों की वीडियो एवं ऑडियो रिकॉर्डिंग, छलछंद (फंदा डालना), तलाशी और जब्ती।

- जाँच एजेंसियों के लिए भिन्न-भिन्न प्रकार के मामलों की जाँच पूरी करने के लिए एक उचित समय-सीमा तय की जानी चाहिए।

- पता लगाए गए और जाँचे गए मामलों की संख्या को लगातार आगे बढ़ाते रहना चाहिए। भ्रष्टाचार के 'बड़े' मामलों पर ध्यान केंद्रित करते

हुए प्राथमिकताओं को पुन: निर्धारित किए जाने की आवश्यकता होती है।

- भ्रष्टाचार के मामलों में अभियोजन अर्थात् मुकदमा चलाने का काम राष्ट्रीय लोकायुक्त या लोकायुक्त के साथ परामर्श से अटॉर्नी जनरल या एडवोकेट जनरल द्वारा तैयार किए गए वकीलों के एक पैनल द्वारा किया जाना चाहिए।

- भ्रष्टाचार-विरोधी एजेंसियों को आसूचना एकत्र करने और संदिग्ध सत्य-निष्ठावाले अधिकारियों को निशाने पर लेने के उद्देश्य से विशेषकर उन विभागों का सर्वेक्षण करना चाहिए, जहाँ भ्रष्टाचार की बहुत अधिक संभावना होती है।

- राज्यों के आर्थिक अपराध एकक को सुदृढ़ करने की आवश्यकता है, ताकि वे मामलों की प्रभावी ढंग से जाँच कर सकें और मौजूदा एजेंसियों के बीच बेहतर समन्वय होना चाहिए।

सन् 2010 तक, 18 राज्यों ने लोकायुक्तों की स्थापना करने हेतु कानून बना लिये हैं। इन राज्यों के नाम इस प्रकार हैं—आंध्र प्रदेश, असम, बिहार, छत्तीसगढ़, दिल्ली, गुजरात, झारखंड, हरियाणा, हिमाचल प्रदेश, कर्नाटक, केरल, मध्य प्रदेश, महाराष्ट्र, उड़ीसा, पंजाब, राजस्थान, उत्तराखंड और उत्तर प्रदेश।

वोहरा समिति की रिपोर्ट

'वोहरा (समिति) रिपोर्ट' केंद्र सरकार के भूतपूर्व गृह सचिव एन.एन. वोहरा द्वारा अक्तूबर 1993 में प्रस्तुत की गई थी। इस समिति ने भारत में राजनीति के अपराधीकरण और अपराधियों, राजनीतिज्ञों तथा अधिकारी वर्ग के बीच मिलीभगत की समस्या का अध्ययन किया। रिपोर्ट में कई सरकारी एजेंसियों की टिप्पणियों के हवाले से बताया गया कि किस तरह आपराधिक नेटवर्क द्वारा वास्तव में एक समानांतर सरकार चलाई जा रही है। इस रिपोर्ट में उन आपराधिक गिरोहों की भी चर्चा की गई थी, जिन्हें सभी पार्टियों के राजनीतिज्ञों का प्रश्रय और सरकारी पदाधिकारियों का संरक्षण प्राप्त रहता है। इसमें बताया गया कि राजनीतिक नेतागण इन गिरोहों की कमान सँभाले हुए हैं। वे सेना से संबंध बनाए हुए हैं। समय के चलते अपराधी स्थानीय निकायों, राज्य विधानसभाओं और संसद् में चुनाव जीतकर आ गए हैं। वोहरा रिपोर्ट के अप्रकाशित परिशिष्टों में बताया जाता है कि उसमें अत्यंत विस्फोटक सामग्री थी। सन् 1997 में उच्चतम न्यायालय ने

एक उच्च स्तरीय समिति बनाने की सिफारिश की थी, जो 'एन.एन. वोहरा समिति' के निष्कर्षों की गहराई से जाँच करेगी और जिन्हें दोषी पाया जाए, उनपर मुकदमा चलाना सुनिश्चित करेगी।

[नरेंद्र नाथ वोहरा आजकल जम्मू व कश्मीर के राज्यपाल हैं। उन्होंने 25 जून, 2008 को एस.के. सिन्हा से कार्यभार ग्रहण किया। 18 वर्षों में, जगमोहन के बाद, वे जम्मू व कश्मीर के पहले असैनिक राज्यपाल हैं।

वोहरा ने पंजाब और ऑक्सफोर्ड विश्वविद्यालयों में शिक्षा पाई है और 1959 तथा 1994 के बीच उन्होंने आई.ए.एस. में सेवा की है। 1997-98 में वे प्रधानमंत्री आई.के. गुजराल के प्रधान सचिव रहे और 1998 से 2001 तक उन्होंने 'राष्ट्रीय सुरक्षा सलाहकार बोर्ड' के सदस्य के रूप में काम किया, जिस समय एन.डी.ए. सरकार सत्ता में थी। वे आंतरिक सुरक्षा संबंधी 'राष्ट्रीय टास्क फोर्स' के भी अध्यक्ष रहे और सन् 2001 में 'इंडिया-यूरोपियन यूनियन राउंड टेबल' का सह-सभापतित्व किया। इस बीच उन्होंने इंडिया इंटरनेशनल सेंटर के निदेशक के रूप में भी काम किया तथा वे आई.डी.एस.ए. समीक्षा समिति के चेयरमैन अथवा अध्यक्ष रहे। राष्ट्र के प्रति उनकी सेवा के लिए वर्ष 2007 में उन्हें 'पद्म विभूषण' की उपाधि भी प्रदान की गई।

फरवरी 2003 से लेकर राज्यपाल बनने तक वोहरा ने कश्मीर में भारत सरकार की ओर से संभाषणकर्ता की हैसियत से काम किया। कहने का मतलब यह कि राज्य के चहुँमुखी विकास के लिए एक सामान्य आधार तैयार करने की कोशिश में वे राज्य में निर्वाचित प्रतिनिधियों और अलगाववादियों के बीच व्यापक विषयों पर चर्चा कर रहे थे। उनका पहला बड़ा कदम था—विवादास्पद अमरनाथ धाम भूमि अंतरण आदेश को वापस लेना।

रिपोर्ट से लिए गए उद्धरण इस प्रकार हैं—

• समिति की पहली बैठक (15 जुलाई, 1993 को आयोजित बैठक) में मैंने सदस्यों को स्पष्ट कर दिया था कि मार्च 1993 में बंबई में हुए बम धमाकों के परिणामस्वरूप सरकार ने दाऊद इब्राहीम गिरोह की गतिविधियों/उस गिरोह से जुड़े तारों के बारे में हमारी खुफिया और जाँच एजेंसियों की रिपोर्टें देखने के बाद ही यह समिति स्थापित की है।

- अधिक बड़े शहरों में आय का मुख्य स्रोत भू-संपत्ति से संबंध रखता है—जमीनों/इमारतों पर जबरन कब्जा करना, मौजूदा कब्जेदारों/किराएदारों आदि को जबरन बाहर निकालकर ऐसी संपत्तियों को सस्ते दामों पर हासिल करना। समय गुजरने के साथ-साथ इस बढ़ती दौलत की ताकत का इस्तेमाल नौकरशाहों और राजनीतिज्ञों के साथ संबंध बनाने तथा निर्भीकता के साथ गतिविधियों को आगे बढ़ाने के लिए किया जाता है। दौलत के बूते पर जोर-जबरदस्ती करनेवाले गिरोह खड़े किए जाते हैं, जिनका इस्तेमाल राजनीतिज्ञों द्वारा चुनावों के दौरान भी किया जाता है।
- इसमें कोई शक नहीं है कि देश के विभिन्न भागों में आपराधिक गिरोहों, पुलिस, नौकरशाहों और राजनीतिज्ञों के बीच मिलीभगत को साफ देखा जा सकता है। मौजूदा आपराधिक न्याय प्रणाली, जो अनिवार्यतः व्यक्तिगत अपकर्मों/अपराधों से निपटने के लिए बनाई गई थी, माफिया की गतिविधियों से निपटने में असमर्थ है, आर्थिक अपराधों से संबंधित कानून के प्रावधान कमजोर हैं (…)
- सी.बी.आई. निदेशक का कहना है कि ऐसे अनेक मामले हैं, जैसे कि (माफिया सरगना इकबाल) मिरची का मामला, जहाँ शुरुआती नाकामयाबी के कारण बड़े-बड़े माफिया गिरोह पैदा हो गए हैं और वे इतने विशाल हो गए हैं कि उनसे निपटना बहुत मुश्किल है।
- सी.बी.आई. निदेशक की तरह ही डी.आई.बी. (निदेशक, आसूचना ब्यूरो) ने भी कहा है कि देश में आपराधिक गिरोहों, हथियारबंद सेनाओं, ड्रग माफिया, तस्कर गिरोहों, ड्रग (नशीले पदार्थ) चोरी से बेचनेवालों और आर्थिक लॉबियों का जाल तेजी से फैला व बढ़ा है, जिसने इतने वर्षों में स्थानीय स्तर पर अफसरों/सरकारी पदाधिकारियों, राजनीतिज्ञों, मीडियाकर्मियों और गैर-सरकारी क्षेत्र में महत्त्वपूर्ण जगह प्राप्त व्यक्तियों के साथ संबंधों का व्यापक नेटवर्क विकसित कर लिया है। इनमें से कुछ व्यवसाय संघों (सिंडीकेटों) के तार अंतरराष्ट्रीय स्तर पर भी जुड़े हुए हैं, जिनमें विदेशी खुफिया एजेंसियाँ भी शामिल हैं।
- विभिन्न अपराध सिंडीकेटों/माफिया संगठनों ने बाहुबल व धन-शक्ति का बड़ा साम्राज्य खड़ा कर दिया है और सरकारी पदाधिकारियों, राजनीतिक नेताओं तथा अन्य लोगों के साथ जुड़ाव सूत्र स्थापित कर लिये हैं, ताकि वे बेखौफ होकर अपना धंधा चला सकें।

- इस क्षेत्र में फिलहाल विभिन्न एजेंसियाँ काम कर रही हैं, जो वस्तुतः अपने उन्हीं कार्यों को ध्यान में रखकर चलती हैं, जो उनके अपने-अपने संगठनों से संबंधित कानूनों के उल्लंघन से वास्ता रखते हैं। और अगर जुड़ाव के बारे में कोई सूचना उनके सामने आती भी है तो उसे जान-बूझकर एक तरफ रख दिया जाता है।
- अब तक की चर्चा की पृष्ठभूमि में इस बात पर आगे और बहस की कोई आवश्यकता प्रतीत नहीं होती है कि किसी ऐसी केंद्रीभूत व्यवस्था का होना अत्यावश्यक है, जिसे सभी मौजूदा खुफिया और प्रवर्तन एजेंसियों द्वारा (इसका विचार किए बिना कि वे किस विभाग के अंतर्गत हैं) कोई भी वह सूचना अविलंब प्रेषित की जा सके, जिसका संबंध अपराध सिंडीकेटों की गतिविधियों से हो।

पूर्व विधि मंत्री राम जेठमलानी, पंजाब के पूर्व डी.जी.पी. जे.एफ. रिबेरो तथा अन्य लोगों ने सुप्रीम कोर्ट में एक (जन हित याचिका) दाखिल की है और सरकार को यह निर्देश देने की माँग की है कि कई प्रभावशाली लोगों द्वारा विदेश में गुप्त बैंक खातों में कथित रूप से जमा की गई लगभग 1.4 खरब डॉलर की रकम वापस लाई जाए। 19 जनवरी, 2011 को सर्वोच्च न्यायालय में यह बहस की गई कि राजनीति के अपराधीकरण पर अंकुश लगाने के लिए 'एन.एन. वोहरा समिति' की सिफारिशों पर काररवाई करने में सरकार की असफलता के कारण काले धन की बड़ी समस्या उत्पन्न हुई, जिसमें से अधिकांश रकम स्विट्जरलैंड में और विश्व भर में अन्य ऐसे देशों में जमा है, जहाँ टैक्स से छूट है।

वरिष्ठ वकील अनिल दीवान ने जन हित याचिका दाताओं की ओर से दलील पेश करते हुए दावा किया कि वोहरा ने स्पष्ट कहा है कि अगर सरकार ऐसे बेईमान तत्त्वों के खिलाफ कठोर काररवाई नहीं करती है तो देश अपने आपको एक भीषण स्थिति में पाएगा। विषय की संवेदनशील प्रकृति को देखते हुए वोहरा ने स्वयं रिपोर्ट को लिखने एवं अंतिम रूप देने का कष्ट किया और यह भी कहा बताया जाता है कि समिति के सदस्य तक अपने विचार प्रकट करने में डर रहे थे।

अन्य बातों के साथ-साथ समिति ने यह भी सुझाव दिया कि माफिया तत्त्वों की संपत्ति को कुर्क करने के लिए कानूनी प्रक्रिया को दुरुस्त किया जाए। लेकिन सरकार ने पुणे के एक व्यापारी हसल अली खाँ की संपत्ति कुर्क करने के लिए कुछ भी नहीं किया, जिसने, बताया जाता है, कि 8 अरब डॉलर जितनी भारी रकम

किसी विदेशी बैंक में जमा की हुई है। हालाँकि उसने आय कर प्राधिकारियों को अपनी सालाना आय सिर्फ 15 लाख रुपए बताई है। जाँच-पड़ताल से पता चला है कि उसने अंतरराष्ट्रीय हथियार तस्कर अदनान खशोगी से भारी रकम ली है, दीवान ने कहा।

सॉलिसिटर जनरल गोपाल सुब्रमण्यम ने कहा कि केंद्र ने नवंबर 2008 के मुंबई आतंकी हमले के बाद समिति की सिफारिशों पर ही 'राष्ट्रीय जाँच एजेंसी' (एन.आई.ए.) का गठन किया है।

सूचना का अधिकार (आर.टी.आई.) कानून

ब्रिटिश भारत में सरकारी सूचना का प्रकटीकरण सन् 1889 से 'सरकारी गोपनीयता अधिनियम' (ऑफिशियल सीक्रेट्स ऐक्ट) के तहत होता था (और है)। यह कानून राज्य की सुरक्षा, देश की संप्रभुता और विदेशी राज्यों के साथ मैत्रीपूर्ण संबंधों से संबंधित सूचना की सुरक्षा करता है और इसमें ऐसे प्रावधान भी हैं, जो गैर-वर्गीकृत सूचना के प्रकटीकरण का निषेध करते हैं। 'सिविल सेवा आचरण नियम' और 'भारतीय साक्ष्य अधिनियम' जन साधारण को सूचना का खुलासा करने के बारे में सरकारी पदाधिकारियों के अधिकारों पर और भी प्रतिबंध लगाते हैं।

तथापि राष्ट्रीय स्तर का कोई कानून पास करना एक कठिन कार्य होता है। व्यावहारिक कानून पास करने में राज्य सरकारों के अनुभव को देखते हुए केंद्र सरकार ने एच.डी. शौरी के अधीन एक 'कार्यकारी समूह' नियुक्त किया और उसे कानून का प्रारूप तैयार करने का कार्य सौंपा। शौरी ने जो प्रारूप तैयार किया, उसका बहुत ही नरम स्वरूप, सूचना की स्वतंत्रता विधेयक, 2000 का आधार बना और यह बिल अर्थात् विधेयक अंततः 'सूचना स्वतंत्रता अधिनियम, 2002' (फ्रीडम ऑफ इन्फॉर्मेशन एक्ट, 2002) के अंतर्गत कानून बन गया। इस कानून की काफी आलोचना हुई, क्योंकि इसमें अनेक प्रकार की बहुत सारी छूटें देने का प्रावधान था, न केवल राष्ट्रीय सुरक्षा एवं अखंडता संबंधी सामान्य कारणों को ढाल बनाकर, बल्कि उन अनुरोधों के लिए भी, जिन्हें मानने का मतलब होता 'किसी सरकारी प्राधिकरण के संसाधनों का विषम पथांतरण।' कितना शुल्क या प्रभार लगाया जा सकता है, इसकी कोई उच्चतर सीमा नहीं थी। सूचना के लिए किसी अनुरोध का अनुपालन न करने पर हर्जाना लगाने की कोई व्यवस्था नहीं थी। परिणामस्वरूप यह कानून (एफ.ओ.आई. एक्ट) कभी लागू नहीं हो पाया।

एफ.ओ.आई. एक्ट जब सुबह का उजाला नहीं देख पाया, वो एक बेहतर कानून, सूचना के अधिकार का राष्ट्रीय कानून लाने के लिए दबाव डाला जाने लगा। सूचना का अधिकार बिल का पहला प्रारूप 22 दिसंबर, 2004 को संसद् के सामने पेश किया गया। काफी जोरदार बहस के बाद दिसंबर 2004 और 15 जून, 2005 के बीच बिल के प्रारूप में सौ से अधिक संशोधन किए गए और तब यह बिल अंततः पास हुआ। 13 अक्तूबर, 2005 को यह कानून पूरी तरह लागू हो गया।

सूचना के अधिकार (आर.टी.आई.) संबंधी कानून पहले जिन राज्यों द्वारा बनाए गए, उन राज्यों के नाम इस प्रकार हैं—तमिलनाडु (1997), गोवा (1997), राजस्थान (2000), कर्नाटक (2000), दिल्ली (2001), महाराष्ट्र (2002), असम (2002), मध्य प्रदेश (2003) और जम्मू व कश्मीर (2004)। महाराष्ट्र और दिल्ली राज्य स्तर के कानूनों का इनके निर्माण में व्यापक रूप से इस्तेमाल किया गया है। दिल्ली आर.टी.आई. एक्ट अभी भी लागू है। जम्मू व कश्मीर का अपना 2009 में बनाया गया सूचना अधिकार अधिनियम है, जो रद्द किए गए 'जे. एंड के. राइट टू इंफॉर्मेशन एक्ट', 2004 और उसके 2008 के संशोधन के बाद अस्तित्व में आया है।

यह अधिनियम अर्थात् कानून जम्मू व कश्मीर को छोड़कर संपूर्ण भारत पर लागू होता है। जम्मू व कश्मीर राज्य का अपना जे. एंड के. राइट टू इन्फॉर्मेशन एक्ट है, जो वहाँ लागू है। यह सभी संवैधानिक सत्ताओं—कार्यपालिका, विधायिका और न्यायपालिका समेत किसी भी उस संस्था या निकाय के लिए प्रयोजनीय है, जिसकी स्थापना या गठन संसद् या राज्य विधानसभा के किसी कानून के तहत की गई हो। अधिनियम में यह भी स्पष्ट किया गया है कि उपयुक्त सरकार के आदेश या अधिसूचना के अनुसार स्थापित अथवा गठित किए गए निकाय या प्राधिकरण भी इसके अंतर्गत आते हैं और उनमें वे निकाय या संस्थाएँ भी सम्मिलित हैं, जिनका 'स्वामित्व, नियंत्रण या पर्याप्त वित्त प्रबंध' सरकार के अधीन है, या वे गैर-सरकारी संगठन जिनका पर्याप्त वित्त-पोषण प्रत्यक्ष या परोक्ष रूप से ऐसी निधियों से किया जाता है, जो सरकार द्वारा मुहैया कराई जाती हैं।

अधिनियम के तहत उन सभी प्राधिकारियों को अपने-अपने लोक सूचना अधिकारी (पब्लिक इन्फॉर्मेशन ऑफिसर) नियुक्त करने चाहिए, जिन पर यह कानून लागू होता है। कोई भी व्यक्ति सूचना के लिए लिखित में एक आवेदन दे सकता है। अधिनियम के अंतर्गत जो भी भारतीय नागरिक सूचना के लिए अनुरोध करता है, उसे वह सूचना उपलब्ध कराना पी.आई.ओ. का दायित्व है।

यदि माँगी गई सूचना (समग्र या आंशिक) किसी दूसरी सरकारी संस्था से संबंध रखती है, तो पी.आई.ओ. की यह जिम्मेदारी होगी कि प्रस्तुत अनुरोध का वह संबंधित अंश पाँच दिन के अंदर उस दूसरे प्राधिकारी के पी.आई.ओ. के पास भेज दिया जाए। इसके अतिरिक्त प्रत्येक सरकारी प्राधिकारी से यह भी अपेक्षा की गई है कि सहायक लोक सूचना अधिकारी (ए.पी.आई.ओ.)* पद नामित किए जाएँ, जिनका काम होगा आर.टी.आई. अनुरोधों और अपीलों को प्राप्त करना और उन्हें अपने सरकारी प्राधिकारी को प्रेषित करना। आवेदक के लिए आवश्यक नहीं है कि वह सूचना प्राप्त करने के लिए अपने नाम और संपर्क के विवरण के अलावा कोई और सूचना दे या कारण बताए।

अनुरोध का उत्तर देने के लिए अधिनियम में निर्धारित की गई समय-सीमाएँ इस प्रकार हैं—

- अगर अर्जी पी.आई.ओ. को संबोधित की गई है तो जवाब अर्जी प्राप्त करने के 30 दिनों के अंदर देना होगा।
- अगर अनुरोध ए.पी.आई.ओ. से किया गया है तो जवाब अनुरोध-प्राप्ति के 35 दिनों के अंदर देना होगा।
- अगर पी.आई.ओ. अनुरोध को किसी दूसरे सरकारी प्राधिकारी (माँगी गई सूचना से बेहतर संबंध रखनेवाले) को भेज देता है तो उस स्थिति में 30 दिनों का समय दिया जाता है; लेकिन इस समय-सीमा की गणना हस्तांतरी प्राधिकारी के पी.आई.ओ. को प्राप्त होने के दिन से करनी होगी।
- अनुसूचित सुरक्षा एजेंसियों (अधिनियम की द्वितीय अनुसूची में सूचीबद्ध) द्वारा भ्रष्टाचार और मानवाधिकारों के उल्लंघनों से संबंधित सूचना 45 दिनों के अंदर देनी होती है, लेकिन 'केंद्रीय सूचना आयोग' की पूर्व-स्वीकृति से।
- फिर भी, अगर किसी व्यक्ति के जीवन या उसकी स्वतंत्रता का सवाल हो तो पी.आई.ओ. से 48 घंटों के अंदर जवाब की अपेक्षा की जाती है।

चूँकि सूचना के लिए भुगतान करना होता है, इसलिए पी.आई.ओ. का उत्तर या तो अनुरोध को मानने से इनकार (पूरे या आंशिक तौर पर) करने तक और/ या 'अतिरिक्त शुल्क' का हिसाब लगाकर देने तक सीमित है। पी.आई.ओ. के

---

* ए.पी.आई.ओ.—असिस्टेंट पब्लिक इन्फॉर्मेशन ऑफिसर।

जवाब और सूचना के लिए अतिरिक्त शुल्क जमा कराने में लगे समय के बीच का समय प्रदत्त समय से निकाल दिया जाता है। अगर सूचना इस अवधि के अंदर मुहैया नहीं कराई जाती है तो इसे इनकार का संकेत मान लिया जाता है। कारण बताकर या कारण न बताकर सूचना देने से मनाही करना अपील या शिकायत का आधार हो सकता है। इसके अलावा निर्धारित समयावधि के अंदर उपलब्ध न कराई गई सूचना निःशुल्क देनी होती है।

वर्ष 2006 तक केंद्रीय विभागों के लिए अनुरोध दाखिल करने हेतु 10 रुपए शुल्क देने की व्यवस्था है। सूचना के लिए 2 रुपए प्रति पृष्ठ और पहले घंटे के बाद निरीक्षण के प्रत्येक घंटे के लिए 5 रुपए के हिसाब से शुल्क अदा करना होता है। यदि कोई आवेदक बी.पी.एल. कार्डधारक (बिलो पॉवर्टी कार्ड होल्डर) है तो उसे कोई शुल्क नहीं देना होगा। ऐसे बी.पी.एल. कार्डधारकों को अपने आवेदन के साथ अपने बी.पी.एल. कार्ड की एक प्रतिलिपि सरकारी प्राधिकारी को देनी होगी। राज्य सरकारों और उच्च न्यायालयों द्वारा अपने ही नियम निर्धारित किए जाते हैं।

केंद्रीय आसूचना और सुरक्षा एजेंसियों के नाम 'द्वितीय अनुसूची' में दिए गए हैं, जो इस प्रकार हैं—आई.बी., रॉ, केंद्रीय जाँच ब्यूरो (सी.बी.आई.), राजस्व आसूचना निदेशालय, केंद्रीय आर्थिक आसूचना ब्यूरो, विमानन अनुसंधान केंद्र, विशेष फ्रंटियर फोर्स, बी.एस.एफ., सी.आर.पी.एफ., आई.टी.बी.पी., सी.आई.एस.एफ., एन.एस.जी., असम राइफल्स, स्पेशल सर्विस ब्यूरो, विशेष शाखा (सी.आई.डी.), दादरा एवं नगर हवेली तथा विशेष शाखा, लक्षद्वीप पुलिस। राज्य सरकारों द्वारा अधिसूचना के जरिए निर्दिष्ट एजेंसियों को भी निकाल दिया जाएगा। तथापि बहिष्करण संपूर्ण नहीं है और भ्रष्टाचार एवं मानवाधिकार उल्लंघनों के आरोपों से संबंधित सूचना उपलब्ध कराना इन संगठनों का अनिवार्य कर्तव्य है। इसके अलावा मानवाधिकारों के आरोपों से संबंधित सूचना सिर्फ केंद्रीय या राज्य सूचना आयोग की मंजूरी से दी जा सकती है।

निम्नलिखित सूचना को प्रकट न करने की छूट है [(एस. 8)]

- सूचना, जिसका खुलासा करना भारत की संप्रभुता और अखंडता को, सुरक्षा, राज्य के 'सामरिक, वैज्ञानिक या आर्थिक' हितों, बाहरी देश के साथ संबंध को प्रतिकूल ढंग से प्रभावित करेगा या किसी अपराध को उकसानेवाला साबित होगा;
- सूचना, जिसे प्रकाशित करना किसी कानूनी अदालत या न्यायाधिकरण

द्वारा विशेष रूप से वर्जित किया गया है अथवा जिसका प्रकटीकरण न्यायालय की अवमानना हो सकता है;

- सूचना, जिसका प्रकटीकरण संसद् या राज्य विधानसभा के विशेषाधिकारों के हनन का कारण बने;

- व्यापारिक विश्वास, व्यापार की गूढ़ बातें या बौद्धिक संपत्ति सहित वह सूचना, जिसका प्रकटीकरण किसी तृतीय पक्ष की स्पर्धात्मक स्थिति के लिए हानिकारक हो सकता है, किंतु अगर सक्षम प्राधिकारी इस बात से संतुष्ट है कि व्यापक जनहित में ऐसी सूचना का खुलासा करना आवश्यक है तो अपेक्षित सूचना दी जा सकती है;

- न्यासी की हैसियत से किसी व्यक्ति के पास उपलब्ध सूचना, जब तक कि सक्षम प्राधिकारी इस बात से संतुष्ट न हो कि व्यापक जन हित में ऐसी सूचना का प्रकटीकरण आवश्यक है;

- विदेशी सरकार से विश्वास में प्राप्त की गई सूचना;

- सूचना, जिसका प्रकटीकरण किसी व्यक्ति के जीवन या शारीरिक सुरक्षा को खतरे में डाल देगा अथवा उस सूचना या सहायता के स्रोत की पहचान बता देगा, जो कानून का पालन करने या सुरक्षा के प्रयोजनों से विश्वास में दी गई हो;

- सूचना, जो जाँच की प्रक्रिया या अपराधियों की पकड़ाई अथवा उनके अभियोजन में अड़चन डाले;

- कैबिनेट यानी मंत्रिमंडल के कागज-पत्र, जिनमें मंत्रिपरिषद्, सचिवों तथा अन्य अधिकारियों के विचार-विमर्श के अभिलेख भी शामिल हैं;

- सूचना, जो वैयक्तिक सूचना से संबंध रखती है और जिसके प्रकटीकरण को किसी सरकारी क्रिया-कलाप या हित से कोई सरोकार नहीं है अथवा जो व्यक्ति की एकांतता के लिए अनावश्यक विघ्नकारी साबित हो सकती है (लेकिन शर्त यह भी है कि जो सूचना संसद् या राज्य विधानसभा को देने से इनकार नहीं किया जा सकता, इस छूट के कारण वांछित सूचना देने से मना नहीं किया जा सकता है);

- उपर्युक्त छूटों में से किसी भी छूट के होते हुए एक सरकारी प्राधिकारी कोई भी सूचना देने की मंजूरी दे सकता है, बशर्ते कि सूचना का खुलासा करने में लोक हित का पलड़ा संरक्षित हितों को हानि पहुँचने पर भारी पड़ता हो।

[**ध्यान दें**—यह उपबंध अधिनियम की उपधारा 11(1) के उस परंतुक से बँधा है, जो इस खंड के अंतर्गत 8(1)(घ) के साथ पढ़े जाने पर 'कानून से संरक्षण प्राप्त व्यापार या व्यापारिक गुप्त बातों' के प्रकटीकरण की छूट देता है।]

वर्तमान भ्रष्टाचार-विरोधी प्रणाली में कमियाँ

केंद्र सरकार के स्तर पर केंद्रीय सतर्कता आयोग, विभागीय सतर्कता और केंद्रीय जाँच ब्यूरो (सी.बी.आई.) है। केंद्रीय सतर्कता आयोग (सी.वी.सी.) और विभागीय सतर्कता विभाग का काम भ्रष्टाचार संबंधी किसी मामले की निगरानी (अनुशासनिक काररवाई) के पहलू पर ध्यान देना है और सी.बी.आई. उस मामले के आपराधिक पहलू को देखती है।

केंद्रीय सतर्कता आयोग (सी.वी.सी.*)

- भारत सरकार में सतर्कता संबंधी मामलों के लिए सी.वी.सी. सर्वोच्च संस्था है।

- किंतु इसके पास इतने पर्याप्त संसाधन नहीं हैं कि बड़ी संख्या में प्राप्त शिकायतों से निपटने में सुविधा हो। सी.वी.सी. एक बहुत छोटा संगठन है और उसमें कर्मचारियों की संख्या 200 से भी कम है। इससे केंद्र सरकार के 1,500 से अधिक विभागों एवं मंत्रालयों में भ्रष्टाचार पर अंकुश लगाने की अपेक्षा की जाती है। इनमें से कुछ विभाग बहुत बड़े हैं, जैसे कि केंद्रीय उत्पाद शुल्क, रेलवेज, आय कर विभाग इत्यादि। इसी कारण इसे अलग-अलग विभागों के सतर्कता स्कंधों पर निर्भर करना पड़ता है और यह अधिकांश शिकायतों को उनके पास भेज देता है, ताकि संबंधित विभाग उन शिकायतों की जाँच करें और सी.वी.सी. को रिपोर्ट भेजें। हालाँकि सी.वी.सी. इन शिकायतों की प्रगति पर नजर रखता है, फिर भी विलंब हो जाता है और शिकायतकर्ता इस देरी के कारण अकसर निराश हो जाते हैं। यह सीधे तौर पर कुछ ही शिकायतों में अपनी ओर से जाँच करता है, विशेषकर उस स्थिति में, जब इसे लगता है कि जान-बूझकर देरी की जा रही है या वरिष्ठ पदाधिकारी

---

* सी.वी.सी.=सेंट्रल विजिलेंस कमीशन (केंद्रीय सतर्कता आयोग)

लपेटे में आ सकते हैं। लेकिन कर्मचारी संख्या की बंदिश को देखते हुए ऐसे मामलों की संख्या वास्तव में बहुत थोड़ी है।

- सी.वी.सी. मात्र एक सलाहकार निकाय है। केंद्र सरकार के विभाग भ्रष्टाचार के विभिन्न मामलों पर सी.वी.सी. की सलाह माँगते हैं, तथापि वे सी.वी.सी. की सलाह मानने या न मानने के लिए स्वतंत्र हैं। जिन मामलों में सी.वी.सी. द्वारा सीधे ही जाँच की जाती है, उनमें भी यह सरकार को सिर्फ सलाह दे सकता है। सी.वी.सी. अपनी मासिक रिपोर्टों और संसद् को प्रस्तुत वार्षिक रिपोर्ट में अस्वीकृति के इन मामलों का उल्लेख करता है। लेकिन संसदीय चर्चाओं में इनकी ओर कोई खास ध्यान नहीं दिया जाता है और न ही प्रचार माध्यमों में इनका जिक्र होता है।
- अनुभव से पता चलता है कि मुकदमा चलाने के बारे में सी.वी.सी. की सलाह विरले ही स्वीकार की जाती है और सी.वी.सी. ने जब कभी भारी जुर्माना लाने की सलाह दी तो जुर्माना बहुत हलका कर दिया गया। अत: सी.वी.सी. को भ्रष्टाचार के विरुद्ध एक कारगर हथियार नहीं माना जा सकता।
- सी.वी.सी. द्वारा संयुक्त सचिव या उससे ऊपर के स्तर के किसी अधिकारी के विरुद्ध सी.बी.आई. को अपनी पहल पर जाँच करने का निर्देश भी नहीं दिया जा सकता है। सी.बी.आई. को उस विभाग की अनुमति लेना जरूरी होता है और जाहिर सी बात है कि अगर उस विभाग के वरिष्ठ अधिकारियों पर आँच आती है तो अनुमति हरगिज नहीं मिलेगी और वे मामले को लटका सकते हैं, या देखेंगे कि अनुमति किसी भी हालत में नहीं दी जाए।
- सी.वी.सी. के पास आपराधिक मामला दर्ज करने का अधिकार नहीं है। यह सिर्फ चौकसी अथवा अनुशासनिक मामलों को देखता है।
- राजनीतिज्ञों के ऊपर कारवाई करने का इसे कोई अधिकार नहीं है। अगर किसी मामले में कोई राजनीतिज्ञ फँसा हो तो सी.वी.सी. अधिक-से-अधिक इतना ही कर सकता है कि उस मामले को सरकार के ध्यान में ला दे। भ्रष्टाचार के कई ऐसे गंभीर मामले हैं, जिनमें पदाधिकारियों और राजनीतिक प्रशासक दोनों के फँसे होने के सुबूत हैं।
- विभागीय सतर्कता स्कंधों पर इसका कोई प्रत्यक्ष अधिकार नहीं है।

अकसर देखा गया है कि सी.वी.सी. किसी विभाग को जब एक शिकायत जाँच के लिए भेज देता है और रिपोर्ट माँगता है तो उसे संबंधित विभाग को उस मामले में जल्द काररवाई करने और रिपोर्ट देने के लिए बार-बार अनुस्मारक जारी करने पड़ते हैं। कई बार ये विभाग सी.वी.सी. के आदेशों का पालन करना जरूरी नहीं समझते हैं। सी.वी.सी. के पास वास्तव में ऐसी कोई प्रभावी शक्तियाँ नहीं हैं कि वह उन विभागों से अपने आदेशों का अनुपालन करा सके।

- सी.वी.सी. केंद्र सरकार के विभिन्न विभागों के जिन सतर्कता स्कंधों को भ्रष्टाचार संबंधी शिकायतें भेजता है, वहाँ कार्यरत पदाधिकारियों पर सी.वी.सी. का कोई प्रशासनिक नियंत्रण नहीं है। यद्यपि विभिन्न विभागों के मुख्य सतर्कता अधिकारियों की नियुक्ति करने से पहले सरकार सी.वी.सी. की सलाह अवश्य लेती है, फिर भी अंतिम निर्णय सरकार पर ही निर्भर करता है। इसके अलावा सी.वी.ओ. (चीफ विजिलेंस ऑफिसर) से नीचे के पदाधिकारियों की नियुक्ति/स्थानांतरण विभाग द्वारा ही किया जाता है। आपवादिक मामलों में ही, यदि सी.वी.ओ. उसे सी.वी.सी. के ध्यान में लाना आवश्यक समझता है, सी.वी.सी. आदेशों को वापस लेने के लिए विभाग पर दबाव डाल सकता है। लेकिन फिर बात वहीं आ जाती है कि ऐसी सिफारिशों का पालन करना अनिवार्य नहीं होता है।
- सी.वी.सी. की नियुक्तियाँ प्रत्यक्षतः सत्तारूढ़ राजनीतिक पार्टी के नियंत्रणाधीन होती हैं। यद्यपि विपक्ष का नेता उस समिति का एक सदस्य होता है, जो सी.वी.सी. और वी.सी. का चयन करता है, लेकिन समिति उन्हीं नामों पर विचार करती है, जो उसके समक्ष रखे जाते हैं और उसका निर्णय सरकार द्वारा किया जाता है। ये नियुक्तियाँ अपारदर्शी होती हैं।
- सी.वी.सी. ऐक्ट सी.वी.सी. को सी.बी.आई. के ऊपर पर्यवेक्षण के अधिकार देता है। तथापि ये पर्यवेक्षण संबंधी शक्तियाँ निष्प्रभावी सिद्ध हुई हैं। सी.वी.सी. को सी.बी.आई. से कोई फाइल मँगाने या उन्हें यह निर्देश देने का अधिकार नहीं है कि किसी मामले में एक विशेष ढंग से व्यवहार किया जाए। इसके अलावा सी.बी.आई. को डी.ओ.पी.टी. के प्रशासनिक नियंत्रण में रखा गया है, सी.वी.सी. के अंतर्गत नहीं।

इसलिए कहा जा सकता है कि सी.वी.सी. आपेक्षिक रूप से अपने कार्य में

भले ही स्वतंत्र हो, उसके पास न तो इतने संसाधन हैं और न ही ऐसे अधिकार कि वह भ्रष्टाचार की शिकायतों के संबंध में उस प्रकार से जाँच कर सके और काररवाई कर सके, जो लोगों या कानून की अपेक्षाओं के अनुरूप हो और जो भ्रष्टाचार के विरुद्ध एक कारगर हथियार सिद्ध हो सके।

विभागीय सतर्कता स्कंध (विजिलेंस विंग)

- प्रत्येक विभाग में एक सतर्कता स्कंध होता है, जिसमें उसी विभाग से लिये गए पदाधिकारी काम करते हैं (कोई-कोई विभाग ऐसा होगा, जिसमें मुख्य सतर्कता अधिकारी बाहर का व्यक्ति हो। तथापि उसके अधीन काम करनेवाले सारे अधिकारी उसी विभाग के होते हैं)।

- क्योंकि किसी विभाग के सतर्कता स्कंध में कार्यरत अधिकारी उसी विभाग से लिये गए होते हैं और उन्हें किसी भी समय उस विभाग में किसी भी पद पर तैनात किया जा सकता है, इसलिए अपने ही साथियों एवं वरिष्ठ पदाधिकारियों के विरुद्ध शिकायतों की जाँच करते समय उनके लिए एक स्वतंत्र एवं वस्तुनिष्ठ दृष्टिकोण अपनाना वास्तव में असंभव हो जाता है। यदि किसी वरिष्ठ अधिकारी के विरुद्ध कोई शिकायत प्राप्त होती है तो उस शिकायत की जाँच करना नामुमकिन है; क्योंकि जो अधिकारी आज सतर्कता स्कंध में है, भविष्य में कभी भी उसे उस वरिष्ठ अधिकारी के अधीन काम करना पड़ सकता है।

- कुछ विभागों में, विशेषकर मंत्रालयों में, कुछ पदाधिकारी सतर्कता अधिकारी के रूप में भी काम करते हैं। इसका मतलब है कि किसी वर्तमान पदाधिकारी को सतर्कता का अतिरिक्त कार्यभार भी दे दिया जाता है। अत:, यदि कोई नागरिक उस अधिकारी के विरुद्ध शिकायत करता है तो उसी अधिकारी को उस शिकायत की जाँच करनी होती है। अगर कोई व्यक्ति उस अधिकारी के विरुद्ध सी.वी.सी. को या उस विभाग के प्रमुख अथवा किसी अन्य प्राधिकारी को शिकायत करता है तो वह शिकायत इन सभी एजेंसियों द्वारा अग्रेषित कर दी जाती है और लौटकर फिर अंत में उसकी अपनी झोली में ही आ गिरती है और उससे अपने ही विरुद्ध जाँच करने की अपेक्षा की जाती है। अगर वह ऐसी जाँच-पड़ताल से खुद को दूर रखना चाहता है, तब भी इन शिकायतों में जाँच का काम वे लोग करते हैं, जो अन्यथा

उसी अधिकारी को रिपोर्ट करते हैं। ऐसे बेतुकेपन के उदाहरण वास्तव में मौजूद हैं।

- सतर्कता स्कंध में ऐसे पदाधिकारियों को तैनात किए जाने के उदाहरण भी सामने आए हैं, जिनका अतीत बहुत भ्रष्ट रहा है। सतर्कता स्कंध में काम करते समय वे अपने विरुद्ध सभी मामलों में छेद करने की कोशिश करते हैं। वे सतर्कता स्कंध को भी भ्रष्टाचार का अड्डा बना देते हैं, जहाँ मामलों को विचारार्थ रखा हुआ होता है।
- विभागीय सतर्कता किसी भी मामले के आपराधिक पहलू की जाँच नहीं करती है। इसे एफ.आई.आर. दर्ज करने का अधिकार नहीं होता है।
- उनके पास राजनीतिज्ञों के विरुद्ध काररवाई करने का भी कोई अधिकार नहीं है।

चूँकि विजिलेंस विंग अर्थात् सतर्कता स्कंध सीधे ही उस विभाग के प्रमुख के नियंत्रणाधीन होता है, इसलिए उस विभाग के वरिष्ठ पदाधिकारियों के विरुद्ध जाँच करना उनके लिए वास्तव में असंभव होता है। इसी कारण देखने में आया है कि किसी भी विभाग का सतर्कता स्कंध वास्तविक शिकायतों पर नरमी से चलता है या 'क्लेशवर्द्धक' अधिकारियों के खिलाफ जाँच-पड़ताल करता है।

केंद्रीय जाँच ब्यूरो (सी.बी.आई.)

- सी.बी.आई. के पास जाँच करने और एफ.आई.आर. दर्ज करने के लिए एक पुलिस थाने के अधिकार होते हैं। यह केंद्र सरकार के किसी भी विभाग से संबंधित किसी भी मामले की जाँच अपनी पहल पर कर सकता है या किसी राज्य सरकार या किसी अदालत द्वारा इसके पास भेजे गए किसी भी मामले की जाँच कर सकता है।
- सी.बी.आई. के पास काम का बहुत अधिक बोझ है और यह उन मामलों को भी स्वीकार नहीं करता है, जहाँ लगभग 1 करोड़ रुपए से कम की रकम हड़पने का आरोप हो।
- अतएव यदि कोई शिकायत किसी ऐसे मंत्री या राजनीतिज्ञ से संबंध रखती है, जो सत्तारूढ़ गठबंधन का हिस्सा है या किसी उस अधिकारी के बारे में हो, जिसे उनका करीबी माना जाता है, सी.बी.आई. की विश्वसनीयता को धक्का लगता है और जन-साधारण में यह सोच

बढ़ती जा रही है कि सी.बी.आई. निष्पक्ष जाँच नहीं कर सकती और यह भी कि इन मामलों में दरार डालने के लिए उसपर दबाव बना हुआ है।

- फिर, क्योंकि सी.बी.आई. सीधे ही केंद्र सरकार के नियंत्रण के अंतर्गत है, इसलिए ऐसा समझा जाने लगा है कि सी.बी.आई. का इस्तेमाल अकसर 'क्लेशकर राजनीतिज्ञों' के विरुद्ध हिसाब-किताब बराबर करने के लिए किया गया है।

अत: यदि कोई नागरिक किसी राजनीतिज्ञ या केंद्र सरकार में किसी पदाधिकारी द्वारा किए गए भ्रष्टाचार के बारे में कोई शिकायत करना चाहता है, तो कोई एक ऐसी भ्रष्टाचार-विरोधी एजेंसी नहीं है, जो प्रभावी हो और उस सरकार के नियंत्रण से मुक्त हो, जिसके गलत कार्यों की जाँच की माँग की गई है। सी.बी.आई. के पास अधिकार हैं, लेकिन यह स्वतंत्र संस्था नहीं है। सी.वी.सी. स्वतंत्र है, लेकिन उसके पास पर्याप्त संसाधन या अधिकार नहीं हैं।

परिणाम

इसने विभिन्न राजनीतिज्ञों और नौकरशाहों के विरुद्ध घूस के मामलों का पर्दाफाश करने में कार्यकर्ताओं की मदद भी की है। आर.टी.आई. कार्यकर्ताओं के जाँच-परिणामों का दमन करने के लिए ऐसी घटनाएँ भी सामने आई हैं, जहाँ आर.टी.आई. कार्यकर्ताओं पर हमला किया गया है और कुछ मामलों में उनकी हत्या तक कर दी गई। नेशनल आर.टी.आई. के पहले वर्ष में सूचना के लिए 42,876 (अभी तक आधिकारिक नहीं) आवेदन केंद्रीय (अर्थात् संघीय) सरकारी प्राधिकारियों को दाखिल किए गए थे। इनमें से 878 को लेकर अंतिम अपीलीय स्टेज पर—केंद्रीय सूचना आयोग, नई दिल्ली में बहस हुई। उसके बाद इनमें से कुछ निर्णय भारत के विभिन्न उच्च न्यायालयों में और भी कानूनी विवाद में फँसे रहे हैं। केंद्रीय सूचना आयोग के एक अंतिम अपीलीय निर्णय के विरुद्ध स्थगन आदेश (स्टे ऑर्डर) 3 मई, 2006 को दिल्ली के उच्च न्यायालय द्वारा दिया गया। वर्ष 2006 में भारत सरकार का आर.टी.आई. ऐक्ट में संशोधन करने का इरादा था, जिसे जन-अशांति के बाद टाल दिया गया; लेकिन 2009 व 2011 में यह इरादा फिर जाहिर किया जाने लगा है।

पी.आर.एस. वैधानिक अनुसंधान के अनुसार—

- भ्रष्टाचार के मामलों में सरकारी कर्मचारियों पर मुकदमा आमतौर पर संबंधित सरकार से ऐसा करने की मंजूरी मिलने के बाद ही चलाया जा सकता है। यह व्यवस्था ईमानदार कर्मचारियों को परेशानी से बचाने के लिए की गई है। तथापि स्वीकृति संबंधी अनुरोध का जवाब देने में देरी करके इस उपबंध का दुरुपयोग किया जा सकता है। वर्ष 2010 की समाप्ति तक केंद्र सरकार की ओर से 236 अनुरोधों का उत्तर नहीं मिला था। इनमें से 155 (66 प्रतिशत) तीन माह से भी अधिक समय से लंबित थे। राज्य सरकारों ने 84 अनुरोधों का उत्तर नहीं दिया था, जिनमें से 13 (15 प्रतिशत) तीन माह से अधिक समय से लटके हुए थे।
- केंद्रीय सतर्कता आयोग वह प्रमुख एजेंसी है, जिसे केंद्र सरकार के अंदर भ्रष्टाचार के मामलों से निपटने की जिम्मेदारी सौंपी गई है। सन् 2005 और 2009 के बीच 13,061 मामलों (औसत 2,612 प्रति वर्ष) में सी.वी.सी. की सलाह के आधार पर जुर्माना लगाया गया था। इनमें वे 846 मामले (वार्षिक औसत 169) भी शामिल थे, जिनमें आपराधिक अभियोजन की मंजूरी दी गई थी। 4,895 मामलों (वार्षिक औसत 979) में भारी जुर्माना लगाया गया था। इनमें बरखास्तगी, पदानुक्रम में निचला रैंक देना, पेंशन में कटौती जैसे दंड शामिल थे। कड़ी आलोचना अर्थात् भर्त्सना जैसे लघु दंड 5,356 मामलों (वार्षिक औसत 1,071) में दिए गए और 1,964 मामलों (वार्षिक औसत 393) में प्रशासनिक काररवाई की गई।
- केंद्रीय जाँच ब्यूरो (सी.बी.आई.) वह प्रमुख एजेंसी है, जिसका इस्तेमाल सी.वी.सी. द्वारा भ्रष्टाचार के मामलों की जाँच करने और सरकारी पदाधिकारियों द्वारा पद का दुरुपयोग किए जाने के मामलों की जाँच के लिए किया जाता है। दिसंबर 2010 की स्थिति से पता चलता है कि सी.बी.आई. में स्वीकृत पदों में से 21 प्रतिशत पद खाली थे। इनमें विधि अधिकारियों के 52 प्रतिशत पद, तकनीकी अधिकारियों के 65 प्रतिशत पद और कार्यपालक अधिकारियों के 21 प्रतिशत पद शामिल हैं।
- सी.बी.आई. मामलों में अभियोजन की काररवाई को आगे बढ़ाने में आपराधिक न्याय प्रणाली की गति भी धीमी रही है। वर्ष 2010 समाप्त

होने तक कई स्थिति के अनुसार, 9,927 सी.बी.आई. मामले अदालतों में लंबित थे। इनमें से 2,245 मामले (कुल संख्या का 23 प्रतिशत) 10 वर्ष से भी अधिक समय से लटके हुए थे।

- सत्येंद्र दुबे की हत्या के बाद सुप्रीम कोर्ट ने वर्ष 2004 में सरकार को निर्देश दिया कि अवैध कार्यों का पर्दाफाश करनेवालों से प्राप्त शिकायतों पर काररवाई करने के लिए कोई व्यवस्था की जानी चाहिए। अप्रैल 2004 में सरकार ने एक प्रस्ताव पारित करके सी.वी.सी. को अवैध कार्यों का खुलासा करनेवालों से प्राप्त शिकायतों पर काररवाई करने का अधिकार दिया। वर्ष 2005 से 2009 तक सी.वी.सी. को कुल 1,731 शिकायतें प्राप्त हुईं, औसतन वर्ष में 346। सरकार ने लोक हित प्रकटीकरण विधेयक, 2010 (पब्लिक इंटरेस्ट डिस्क्लोजर बिल, 2010) पेश किया है, जिसे फिलहाल संसद की स्थायी समिति देख-परख रही है।

वर्ष 2010-11 की अवधि में भारत ने अनेक घोटालों पर से परदा हटते हुए देखा। मीडिया, सीटी बजानेवालों, सिविल सोसाइटी कार्यकर्ताओं और सरकारी एजेंसियों ने बराबर दौड़-धूप करके इन घोटालों का भंडाफोड़ किया। बड़े-बड़े घोटाले सामने आए, जैसे कि 2जी स्पेक्ट्रम घोटाला, आदर्श हाउसिंग सोसाइटी घोटाला, कॉमनवेल्थ गेम्स घोटाला और कई अन्य घोटाले। इन सबके साथ विभिन्न कैबिनेट मंत्रियों, मुख्यमंत्रियों एवं सैन्य अधिकारियों के भी नाम उजागर हुए। इनसे पता चलता है कि भारत भ्रष्टाचार के दलदल में कितना गहरा धँसा हुआ है। इसके फलस्वरूप सिविल सोसाइटी ने व्यापक स्तर पर आंदोलन छेड़ दिया है। वे चाहते हैं कि भ्रष्टाचार को समूल नष्ट करने के लिए कड़े-से-कड़े कानून बनाए जाएँ और कठोरतम दंड की व्यवस्था की जाए।

सरकारी लोकपाल बिल की समालोचना

जैसाकि अन्ना हजारे ने नई दिल्ली में संवाददाताओं को बताया, ''लोकपाल बिल पिछले चार दशकों में आठ बार संसद् में पेश किया जा चुका है। पहली बार 1969 में प्रवेश किया गया था। लेकिन प्रत्यक्षत: इसे कभी पारित नहीं किया गया, क्योंकि राजनीतिज्ञ नहीं चाहते हैं कि उन्हें उत्तरदायी ठहराया जाए।''

'भ्रष्टाचार विरुद्ध भारत' (इंडिया अगेंस्ट करप्शन) समूह ने खेद व्यक्त

करते हुए कहा है कि वर्तमान यू.पी.ए. सरकार द्वारा तैयार किया गया लोकपाल बिल का नवीनतम प्रारूप देश में भ्रष्टाचार-विरोधी तंत्र के नाम पर बची-खुची व्यवस्था को भी नष्ट करने वाला है और उसका उद्देश्य राजनीतिज्ञों को काररवाई से बचाना है। समूह के सदस्यों का कहना है कि इसी वजह से वे इस बिल का दूसरा स्वरूप लेकर आए हैं। इस समूह का तर्क है कि 18 राज्यों द्वारा बनाए गए लोकायुक्त अधिनियम बहुत बेअसर साबित हुए हैं।

इस ग्रुप ने अपनी वेबसाइट indiaagainstcorruption.org पर सरकारी बिल की समीक्षा प्रस्तुत की है और 17 कारण देकर बताया है कि यह बिल सिर्फ एक ढकोसला है। अन्ना हजारे की टीम द्वारा उठाई गई कुछ आपत्तियाँ इस प्रकार हैं—

1. सरकार का प्रस्ताव—

लोकपाल को अपनी ओर से किसी मामले में काररवाई की पहल करने का या जनसाधारण से भ्रष्टाचार की शिकायतें प्राप्त करने का कोई अधिकार नहीं होगा। जनसामान्य लोकसभा अध्यक्ष या राज्यसभा के सभापति को शिकायत करेगा। सिर्फ उन्हीं शिकायतों की जाँच लोकपाल द्वारा की जाएगी, जो शिकायतें लोकसभा के अध्यक्ष या राज्यसभा के सभापति से होकर लोकपाल के पास आएँगी। इससे लोकपाल के कार्य करने का दायरा न केवल बहुत सीमित हो जाता है, बल्कि यह सत्तारूढ़ पार्टी के हाथों में एक ऐसा हथियार भी थमा देता है, जिसके रहते लोकपाल को केवल वही शिकायतें भेजी जाएँगी, जो राजनीतिक विरोधियों से संबंध रखती हों (क्योंकि अध्यक्ष हमेशा सत्तारूढ़ दल से होता है)। यह बिल सत्तारूढ़ पार्टी के हाथों में अपने ही राजनीतिज्ञों को बचाने का भी अस्त्र बन जाएगा।

सिविल सोसाइटी का प्रस्ताव—

लोकपाल को किसी भी मामले में अपनी पहल पर काररवाई करने का अधिकार होगा और वह जनता से सीधे ही शिकायतें प्राप्त कर सकेगा। किसी भी मामले में जाँच आरंभ करने के लिए उसे किसी से निर्देश या अनुमति लेने की जरूरत नहीं होगी।

2. सरकार का प्रस्ताव—

लोकपाल को एक सलाहकार संस्था बनाने का प्रस्ताव किया गया है । लोकपाल, किसी भी मामले में जाँच-पड़ताल के बाद, अपनी रिपोर्ट सक्षम प्राधिकारी को भेजेगा। लोकपाल की रिपोर्ट पर काररवाई करने या न करने का अंतिम निर्णय सक्षम प्राधिकारी का होगा। कैबिनेट मंत्रियों के मामले में सक्षम प्राधिकारी प्रधानमंत्री होगा। प्रधानमंत्री और सांसदों के मामले में सक्षम प्राधिकारी लोकसभा या राज्यसभा को बनाया गया है, जैसी भी स्थिति हो। गठबंधन के युग में, जब आज की सरकार को अपने राजनीतिक साझेदारों के समर्थन पर निर्भर रहना पड़ता है, प्रधानमंत्री के लिए लोकपाल की रिपोर्ट के आधार पर अपने किसी भी कैबिनेट मंत्री के विरुद्ध काररवाई करना संभव नहीं होगा। उदाहरण के तौर पर, अगर आज कोई ऐसा लोकपाल होता और अगर उस लोकपाल ने ए. राजा पर मुकदमा चलाने की सिफारिश प्रधानमंत्री से की होती तो वास्तव में प्रधानमंत्री के पास इतना राजनीतिक साहस नहीं होता कि वे ए. राजा के विरुद्ध अभियोजन की काररवाई कर सकें। इसी प्रकार यदि लोकपाल द्वारा प्रधानमंत्री या सत्तारूढ़ दल के किसी संसद् सदस्य के विरुद्ध रिपोर्ट दी जाती है तो सदन प्रधानमंत्री पर या सत्तारूढ़ दल के सांसद पर मुकदमा चलाने का कोई संकल्प पारित करेगा? निस्संदेह वे ऐसा कभी नहीं करेंगे।

सिविल सोसाइटी का प्रस्ताव—

लोकपाल एक सलाहकार संस्था नहीं है। इसे किसी भी मामले में जाँच पूरी हो जाने के बाद किसी भी व्यक्ति के विरुद्ध मुकदमा चलाने का अधिकार होगा। इसे किसी भी सरकारी कर्मचारी के खिलाफ अनुशासनिक काररवाई करने का भी अधिकार होगा।

3. सरकारी प्रस्ताव—

बिल कानूनी दृष्टि से कमजोर है। लोकपाल को पुलिस के अधिकार नहीं दिए गए हैं। अत: लोकपाल एफ.आई.आर. दर्ज नहीं कर सकता है। इस कारण लोकपाल द्वारा की गई सारी जाँच-पड़ताल प्राथमिक जाँच मानी जाएगी। अगर लोकपाल की रिपोर्ट स्वीकार कर

ली जाती है, तब भी अदालत में आरोप-पत्र (चार्जशीट) कौन दाखिल करेगा? मुकदमा कौन चलाएगा? अभियोजन पक्ष का वकील कौन नियुक्त करेगा? इस बारे में पूरा बिल मौन है।

सिविल सोसाइटी का प्रस्ताव—

लोकपाल के पास पुलिस के अधिकार होंगे। वह एफ.आई.आर. दर्ज कर सकेगा, आपराधिक जाँच कर सकेगा और मुकदमा चला सकेगा।

4. सरकार का प्रस्ताव—

बिल इस बारे में कुछ नहीं कहता है कि इस बिल के बाद सी.बी.आई. की भूमिका क्या होगी? क्या सी.बी.आई. और लोकपाल एक ही मामले की जाँच कर सकते हैं या सी.बी.आई. से राजनीतिज्ञों की जाँच करने के अधिकार छिन जाएँगे? अगर बाद वाली बात सही है तो इसका मतलब होगा कि यह बिल राजनीतिज्ञों को किसी भी जाँच के घेरे में नहीं आने देगा, जबकि अभी सी.बी.आई. के जरिए ऐसी जाँच-पड़ताल संभव है।

सिविल सोसाइटी का प्रस्ताव—

सी.बी.आई. का वह कार्यांग, जो भ्रष्टाचार के मामलों को देखता है, लोकपाल में समाविष्ट हो जाएगा, जिससे कि भ्रष्टाचार के खिलाफ काररवाई करने के लिए एक ही कारगर और स्वतंत्र संस्था हो।

5. सरकार का प्रस्ताव—

बेकार की शिकायतों के लिए सख्त सजा की व्यवस्था है। यदि कोई शिकायत झूठी और निरर्थक पाई जाती है तो लोकपाल सरसरी जाँच के बाद शिकायतकर्ता को जेल भेजने का अधिकार रखता है; लेकिन यदि शिकायत सही पाई गई तो उस स्थिति में लोकपाल को अधिकार नहीं है कि भ्रष्ट राजनीतिज्ञ को जेल भेज सके। इससे प्रतीत होता है कि यह बिल उन लोगों को डराने, धमकाने और निरुत्साहित करने के लिए बनाया गया है, जो भ्रष्टाचार के खिलाफ लड़ना चाहते हैं।

सिविल सोसाइटी का प्रस्ताव—

निराधार और झूठी शिकायतों के लिए शिकायतकर्ता पर वित्तीय दंड लगाने की व्यवस्था की गई है, ताकि वह फिर कभी ऐसा साहस न कर सके। तथापि लोकायुक्त को भ्रष्ट लोगों के विरुद्ध मुकदमा चलाने और उनके खिलाफ अनुशासनिक काररवाई करने का अधिकार दिया गया है।

6. सरकार का प्रस्ताव—

केवल संसद् सदस्य, मंत्रीगण और प्रधानमंत्री लोकपाल के अधिकार-क्षेत्र में आएँगे। अधिकारियों को लोकपाल के दायरे से बाहर रखा गया है। भ्रष्टाचार में अधिकारियों और राजनीतिज्ञों की लिप्तता को अलग-अलग नहीं देखा जा सकता। भ्रष्टाचार के किसी भी मामले में हमेशा उन दोनों की मिलीभगत होती है। इसलिए सरकार के प्रस्तावानुसार, हर मामले की जाँच सी.वी.सी. और लोकपाल दोनों से कराने की आवश्यकता है। इसका अर्थ हुआ कि प्रत्येक मामले में, सी.वी.सी. द्वारा अधिकारियों की भूमिका की जाँच की जाएगी, जबकि लोकपाल राजनीतिज्ञों की भूमिका की जाँच करेगा। स्पष्ट है, मामले से संबद्ध अभिलेख/दस्तावेज एक एजेंसी के पास होंगे और जिस तरह सरकार काम करती है, यह अपने रिकॉर्ड दूसरी एजेंसी के साथ बाँटना नहीं चाहेगी। यह भी संभव है कि एक ही मामले में दोनों एजेंसियों के निष्कर्ष एक-दूसरे के निष्कर्षों से बिलकुल भिन्न निकलें। अत: किसी मामले को दफनाने का यह एक सुदृढ़ तरीका प्रतीत होता है।

सिविल सोसाइटी का प्रस्ताव—

राजनीतिज्ञ, अधिकारी और न्यायाधीश भी लोकपाल के दायरे में आएँगे। सी.वी.सी. और सरकार की समस्त सतर्कता-व्यवस्था को लोकपाल में मिला दिया जाएगा।

7. सरकार का प्रस्ताव—

लोकपाल में तीन सदस्य होंगे और वे सभी अवकाश-प्राप्त न्यायाधीश होंगे। इस विकल्प को न्यायिक व्यक्तियों तक सीमित रखने का कोई कारण

समझ में नहीं आता। न्यायाधीशों के लिए सेवानिवृत्ति के उपरांत इतने सारे पद बनाकर सरकार सेवानिवृत्त होनेवाले न्यायाधीशों को सेवानिवृत्ति से ठीक पहले सरकारी प्रभाव के प्रति संवेदनशील बना देगी, जैसाकि सेवानिवृत्त होनेवाले अधिकारियों के मामले में पहले से हो रहा है। सेवानिवृत्त होनेवाले न्यायाधीश फिर अपने आखिरी कुछ वर्षों में अवश्य ही सरकार की बोली बोलेंगे, इस उम्मीद में कि सेवानिवृत्ति के बाद उन्हें मनचाहा रोजगार मिल जाए।

सिविल सोसाइटी का प्रस्ताव—

लोकपाल में 10 सदस्य होंगे और एक अध्यक्ष होगा। उनमें से 4 के लिए कानूनी पृष्ठभूमि का होना आवश्यक है (जरूरी नहीं कि वे जज रहे हों)। अन्य लोग किसी भी पृष्ठभूमि के हो सकते हैं।

8. सरकार का प्रस्ताव—

चयन समिति में उपराष्ट्रपति, प्रधानमंत्री, दोनों सदनों के नेतागण, दोनों सदनों में विपक्ष के नेता, विधि मंत्री और गृह मंत्री शामिल हैं। उप-राष्ट्रपति को छोड़कर वे सभी लोग राजनीतिज्ञ हैं, जिनके भ्रष्टाचार की जाँच लोकपाल को करनी होगी। अतः इसमें हितों का आपस में सीधा टकराव है। इसके अलावा चयन समिति का भारी झुकाव सत्तारूढ़ दल के पक्ष में है। स्पष्ट है कि चयन में अंतिम निर्णय सत्तारूढ़ दल का होगा और निस्संदेह सत्तारूढ़ पार्टी कभी मजबूत एवं प्रभावशाली लोकपाल नियुक्त नहीं करेगी।

सिविल सोसाइटी का प्रस्ताव—

चयन समिति में न्यायिक पृष्ठभूमि के सदस्य होते हैं, जैसेकि मुख्य चुनाव आयुक्त, भारत के नियंत्रक एवं महालेखापरीक्षक और अंतरराष्ट्रीय पुरस्कार विजेता (अर्थात् भारतीय मूल के नोबेल पुरस्कार विजेता और मैगसेसे पुरस्कार विजेता)। एक विस्तृत पारदर्शी एवं सहभागी चयन-प्रक्रिया निर्धारित की गई है।

9. सरकार का प्रस्ताव—

लोकपाल को प्रधानमंत्री के विरुद्ध किसी भी मामले की जाँच करने का अधिकार नहीं होगा, जिसे विदेश, सुरक्षा और विभाग के मामलों को भी देखना पड़ता है। इसका मतलब है कि चाहे जो हो, रक्षा संबंधी सौदों को किसी भी जाँच के दायरे से बाहर रखा जाएगा। इससे भविष्य में बोफोर्स जैसे किसी भी कांड की जाँच करना असंभव हो जाएगा।

सिविल सोसाइटी का प्रस्ताव—

लोकपाल के अधिकारों पर ऐसी कोई रोक नहीं है।

10. सरकार का प्रस्ताव—

हालाँकि जाँच करने के लिए लोकपाल के लिए छह माह से एक वर्ष तक की समय-सीमा निर्धारित की गई है, किंतु उसके बाद मुकदमे की काररवाई पूरी करने के लिए कोई समय-सीमा नहीं रखी गई है।

सिविल सोसाइटी का प्रस्ताव—

जाँच एक साल के अंदर पूरी होनी चाहिए। विचारणा अर्थात् मुकदमे की काररवाई अगले एक वर्ष के अंदर समाप्त हो जानी चाहिए।

11. सरकार का प्रस्ताव—

यह बिल अधिकारी वर्ग के भ्रष्टाचार के मामलों की जाँच के लिए नहीं है। ऐसे में भ्रष्ट अधिकारी किसी भी काररवाई के भय के बिना अपने पद पर बने रहेंगे।

सिविल सोसाइटी का प्रस्ताव—

लोकपाल को अनुशासनिक काररवाई का निर्देश देने, यहाँ तक कि भ्रष्ट अधिकारी को पद से बरखास्त करने का भी अधिकार होगा।

12. सरकार का प्रस्ताव—

यह बिल जजों के विरुद्ध शिकायतों की जाँच की बात नहीं करता है।

सिविल सोसाइटी का प्रस्ताव—

लोकपाल को जजों के विरुद्ध भ्रष्टाचार की शिकायतों की जाँच करने का अधिकार होगा।

13. सरकार का प्रस्ताव—

अध्यक्ष फैसला करेगा कि लोकपाल द्वारा किन शिकायतों की जाँच की जाएगी।

सिविल सोसाइटी का प्रस्ताव—

लोकपाल शिकायत की सुनवाई किए बिना जनता से प्राप्त किसी भी शिकायत को खारिज नहीं कर सकेगा।

14. सरकार का प्रस्ताव—

हमारी समस्त शासन-प्रणाली में लोक शिकायत निवारण व्यवस्था बहुत लचर एवं अपर्याप्त है, जिसके कारण लोगों को घूस देने के लिए विवश होना पड़ता है। लोकपाल बिल में इस समस्या का समाधान नहीं है।

सिविल सोसाइटी का प्रस्ताव—

लोकपाल के पास ऐसे अधिकार होंगे कि वह शिकायत को एक समयबद्ध ढंग से निपटाने के आदेश जारी कर सके। लोकपाल दोषी अधिकारियों पर वित्तीय दंड लगा सकेगा, जिसका भुगतान मुआवजे के रूप में शिकायतकर्ता को किया जाएगा।

15. सरकार का प्रस्ताव—

राजनीतिक भ्रष्टाचार के विरुद्ध आवाज उठानेवाले अनेक लोगों की हत्या की जा रही है। लोकपाल के पास उन्हें संरक्षण देने का कोई अधिकार नहीं है।

सिविल सोसाइटी का प्रस्ताव—

लोकपाल के पास पर्याप्त अधिकार होंगे कि वह भ्रष्टाचार का

पर्दाफाश करनेवालों को शारीरिक एवं व्यावसायिक उत्पीड़न से बचा सके तथा उन्हें संरक्षण दे सके।

16. सरकार का प्रस्ताव—

गलत तरीकों से अर्जित धन-दौलत को बरामद करने की कोई व्यवस्था कानून में नहीं दी गई है। कोई भी भ्रष्ट व्यक्ति जेल से बाहर आ सकता है और उस धन-दौलत पर मजे कर सकता है।

सिविल सोसाइटी का प्रस्ताव—

भ्रष्टाचार के कारण सरकार को हुए नुकसान की भरपाई सभी अभियुक्तों से की जाएगी।

17. सरकार का प्रस्ताव—

वर्तमान कानून के अंतर्गत भ्रष्टाचार के लिए बहुत थोड़े दंड का विधान है—भ्रष्टाचार के लिए न्यूनतम सजा 6 माह और अधिकतम 7 वर्ष है।

सिविल सोसाइटी का प्रस्ताव—

दंड की वर्धित अवधि—कम-से-कम 5 वर्ष की सजा और अधिकतम सजा आजीवन कारावास।

जन लोकपाल बिल : दूसरा स्वरूप

जन लोकपाल बिल (सिटीजन्स ओम्बड्समैन बिल) प्रतिष्ठित सिविल सोसाइटी कार्यकताओं द्वारा बनाए गए भ्रष्टाचार-विरोधी बिल का एक प्रारूप है, वे जन लोकपाल के रूप में एक स्वतंत्र निकाय बनाने की माँग कर रहे हैं, जिसका कार्य होगा भ्रष्टाचार संबंधी मामलों की जाँच करना; एक वर्ष के अंदर जाँच पूरी करना और उसके उपरांत अगले एक वर्ष के अंदर मुकदमा निबटाना।

न्यायमूर्ति संतोष हेगड़े (सुप्रीम कोर्ट के पूर्व न्यायाधीश और कर्नाटक के पूर्व लोकायुक्त), प्रशांत भूषण (सुप्रीम कोर्ट के वकील) एवं अरविंद केजरीवाल (आर.टी.आई. कार्यकर्ता) ने मिलकर यह प्रारूप तैयार किया है और बिल के इस प्रारूप में एक ऐसी प्रणाली की संकल्पना है, जहाँ शिकायत लिये जाने के दो वर्ष के

अंदर भ्रष्टाचार के दोषी पाए गए किसी भी व्यक्ति को जेल की हवा खानी पड़ेगी और गलत ढंग से कमाई गई उसकी धन-संपत्ति जब्त कर ली जाएगी। यह बिल जन लोकपाल को इतना सशक्त बनाने की माँग करता है कि जन लोकपाल सरकारी अनुमति के बिना राजनीतिज्ञों और नौकरशाहों पर मुकदमा चला सके।

सेवानिवृत्त आई.पी.एस. अधिकारी किरण बेदी और स्वामी अग्निवेश, श्री श्री रविशंकर, अन्ना हजारे तथा मल्लिका साराभाई जैसे जाने-माने लोग भी इस आंदोलन का हिस्सा हैं, जिसे 'इंडिया अगेंस्ट करप्शन' (अर्थात् भ्रष्टाचार विरुद्ध भारत) का नाम दिया गया है। इसकी वेबसाइट पर इस आंदोलन का वर्णन इस प्रकार किया गया है—''भ्रष्टाचार के विरुद्ध भारत के लोगों के सामूहिक आक्रोश की अभिव्यक्ति। हम सभी जन लोकपाल बिल को कानून बनाने हेतु सरकार को बाध्य करने/निवेदन करने/मनाने/सरकार पर दबाव डालने के उद्देश्य से इकट्ठा हुए हैं। हमारा ऐसा मानना है कि यह बिल अगर कानून बन जाता है तो यह भ्रष्टाचार के विरुद्ध एक कारगर प्रतिरोधक सिद्ध होगा।''

जन लोकपाल बिल की प्रमुख विशेषताओं पर एक दृष्टि—

1. केंद्र में लोकपाल और प्रत्येक राज्य में लोकायुक्त नामक एक संस्था स्थापित की जाएगी।

2. सुप्रीम कोर्ट और निर्वाचन आयोग की भाँति वे भी सरकार से पूरी तरह मुक्त होंगे। कोई भी मंत्री या अधिकारी उनकी जाँच को प्रभावित नहीं कर सकेगा।

3. भ्रष्ट लोगों के विरुद्ध मुकदमे अब वर्षों तक नहीं खिंचते रहेंगे। किसी भी मामले में जाँच एक वर्ष के अंदर पूरी करनी होगी। मुकदमे की काररवाई अगले एक वर्ष में पूरी हो जानी चाहिए, ताकि भ्रष्ट राजनेता, अधिकारी या न्यायाधीश को दो साल के अंदर जेल भेजा जा सके।

4. भ्रष्ट व्यक्ति ने सरकार का जो नुकसान किया है, उसकी वसूली दोषी ठहराए जाने के समय की जाएगी।

5. एक सामान्य नागरिक की मदद कैसे करेगा—यदि किसी नागरिक का कोई काम किसी सरकारी कार्यालय में निर्धारित समय के अंदर नहीं होता है तो लोकपाल दोषी अधिकारियों पर वित्तीय जुर्माना लगाएगा, जो क्षतिपूर्ति के रूप में शिकायतकर्ता को दे दिया जाएगा।

6. अत: यदि आपका राशन कार्ड या पासपोर्ट अथवा वोटर कार्ड नहीं बनाया

जा रहा है या पुलिस आपका केस दर्ज नहीं कर रही है अथवा कोई अन्य काम निर्धारित समय के अंदर नहीं किया जा रहा है तो आप लोकपाल के पास जा सकेंगे और लोकपाल को वह काम एक माह के अंदर कराना होगा। आप भ्रष्टाचार के किसी भी मामले की सूचना लोकपाल को दे सकते हैं—जैसे कि राशन की हेरा-फेरी, सड़कों का घटिया निर्माण या पंचायत की धनराशि में हेरा-फेरी का मामला। लोकपाल को एक वर्ष के अंदर अपनी जाँच-पड़ताल पूरी करनी होगी। विचारणा अगले एक वर्ष में समाप्त हो जाएगी और दोषी को दो वर्ष के अंदर जेल भेज दिया जाएगा।

7. पर क्या ऐसा नहीं होगा कि सरकार भ्रष्ट एवं कमजोर लोगों को लोकपाल का सदस्य नियुक्त कर दे? वह संभव नहीं होगा, क्योंकि इसके सदस्यों का चयन न्यायाधीशों, नागरिकों और संवैधानिक प्राधिकारियों द्वारा किया जाएगा, न कि राजनीतिज्ञों द्वारा। चयन की प्रक्रिया पूरी तरह पारदर्शी एवं सहभागिता पर आधारित होगी।

8. यदि लोकपाल में कोई अधिकारी भ्रष्ट हो जाता है, तब क्या होगा? लोकपाल/लोकायुक्त की संपूर्ण कार्य-प्रणाली पूरी तरह पारदर्शी होगी। लोकपाल के किसी भी अधिकारी के विरुद्ध कोई शिकायत मिलने पर उसकी जाँच की जाएगी और उस अधिकारी को दो माह के अंदर बरखास्त कर दिया जाएगा।

9. मौजूदा भ्रष्टाचार-निवारक एजेंसियों का क्या होगा? सी.वी.सी., सी.बी.आई. की विभागीय सतर्कता एवं भ्रष्टाचार-विरोधी शाखा को लोकपाल में मिला दिया जाएगा। लोकपाल के पास स्वतंत्र रूप से जाँच करने और किसी भी अधिकारी, जज या राजनीतिज्ञ पर अभियोग चलाने के पूरे अधिकार होंगे और पूरी व्यवस्था होगी।

10. भ्रष्टाचार के खिलाफ आवाज उठाने के लिए उत्पीड़ित किए जा रहे लोगों को संरक्षण प्रदान करना लोकपाल का कर्तव्य होगा।

प्रधानमंत्री को संबोधित पत्र

अन्ना हजारे ने प्रधानमंत्री को लिखे अपने पाँच-सूची पत्र में अपनी नाराजगी जाहिर करते हुए पुन: स्पष्ट किया कि उन्हें किन कारणों से जंतर-मंतर पर अनिश्चितकालीन अनशन करना पड़ा। पत्र की शब्दावली इस प्रकार हैं—

प्रिय डॉ. सिंह,

मैंने जंतर-मंतर पर अपना अनिश्चितकालीन अनशन आरंभ कर दिया है। मैंने 5 अप्रैल को आपको भी उपवास करने और एक भ्रष्टाचार-मुक्त भारत के लिए प्रार्थना करने हेतु आमंत्रित किया था। यद्यपि आपकी तरफ से कोई उत्तर मुझे प्राप्त नहीं हुआ, फिर भी मैं आशा करता हूँ कि आपने ऐसा अवश्य किया होगा।

मेरे उपवास के प्रति आपकी सरकार की प्रतिक्रिया के बारे में पढ़कर और सुनकर मुझे दु:ख हुआ है। कांग्रेस पार्टी और सरकार की ओर से जो मुद्दे उनके प्रवक्ताओं द्वारा उठाए गए हैं और मीडिया के जरिए जिस रूप में पेश किए गए हैं, उनको स्पष्ट करना मैं अपना कर्तव्य समझता हूँ—

1. यह कहा जा रहा है कि इस अनशन पर बैठने के लिए मुझे कुछ लोग उकसा रहे हैं। प्रिय मनमोहन सिंहजी, यह बात मेरे विवेक और मेरी समझ का अपमान है। मैं कोई बच्चा नहीं हूँ, जिसे अनिश्चितकालीन उपवास पर जाने के लिए 'उकसाया' जा सके। मैं अनेक मित्रों और आलोचकों से सलाह अवश्य लेता हूँ, लेकिन करता वही हूँ जिसे करने के लिए मेरी अंतरात्मा मुझे कहती है। यह मेरा अनुभव रहा है कि चारों तरफ से घिर जाने के बाद सरकारें ऐसा ही दुर्भावनापूर्ण प्रचार करने पर उतर आती हैं। मुझे दु:ख इस बात का है कि भ्रष्टाचार के मसले का कोई हल तलाशने के बजाय सरकार कुचक्र रचने का आरोप लगाने की चेष्टा कर रही है; जबकि ऐसा कुछ भी नहीं है।

2. यह कहा जा रहा है कि मैंने अधैर्य दिखाया है। प्रिय प्रधानमंत्रीजी, असल बात तो यह है कि अब तक प्रत्येक सरकार ने भ्रष्टाचार से निपटने के प्रति पूरी उदासीनता और राजनीतिक वचनबद्धता की कमी का परिचय दिया है। स्वतंत्रता मिलने के 64 वर्ष बाद भी हमारे देश में भ्रष्टाचार से लड़ने की कोई स्वतंत्र और कारगर प्रणाली नहीं है। पिछले 42 वर्षों में बहुत ही कमजोर लोकपाल बिल आठ बार संसद् में पेश किए गए हैं। संसद् ने उन कमजोर बिलों को भी पास नहीं किया। इसका अभिप्राय यही लिया जा सकता है कि राजनीतिज्ञ और

अधिकारीगण चाहते हैं कि इसे उन्हीं की मरजी पर छोड़ दिया जाए और वे कभी भी ऐसा कोई कानून पास नहीं करेंगे, जो उन्हें किसी जाँच के घेरे में लाने वाला हो। आज जब इस देश के सामने भारी-भरकम घोटाले निकलकर आ रहे हैं, ऐसे में पूरे देश में बेचैनी का फूट पड़ना न्यायोचित ही है। और हम आपसे पुकार लगाते हैं कि आप पूर्वोदाहरण तलाशने के बजाय साहस दिखाएँ और अभूतपूर्व कदम उठाएँ।

3. ऐसा कहा जा रहा है कि मैं अधीरता दिला रहा हूँ, जबकि सरकार ने प्रक्रिया 'आरंभ कर दी' है। क्या आप मुझे बताने का कष्ट करेंगे कि वास्तव में कैसी प्रक्रिया चल रही है ?

(क) आप कहते हैं कि आपका मंत्री-समूह भ्रष्टाचार-विरोधी कानून का प्रारूप तैयार कर रहा है। इस मंत्री-समूह के अनेक सदस्यों का अतीत इतना कुत्सित है कि यदि कोई कारगर भ्रष्टाचार-विरोधी व्यवस्था मौजूद होती तो उनमें से कुछ लोग आज सलाखों के पीछे होते। क्या आप हमसे इस प्रक्रिया में विश्वास रखने की अपेक्षा करते हैं, जिसमें शामिल इस देश के कुछ बहुत ही भ्रष्ट लोग भ्रष्टाचार-विरोधी कानून बनाने में लगे हों ?

(ख) *एन.ए.सी. की उप-समिति ने जन लोकपाल बिल पर चर्चा की है। लेकिन वास्तव में उसका क्या मतलब निकलता है ? क्या सरकार एन.ए.सी. उप-समिति की सिफारिशें स्वीकार करेगी ? अब तक यू.पी.ए.-2 ने एन.ए.सी. द्वारा उठाए गए अत्यंत अहानिकर विषयों की ओर भी तिरस्कारपूर्ण दृष्टि से देखा है।

(ग) 'इंडिया अगेंस्ट करप्शन' से मैंने और मेरे अन्य मित्रों ने 1 दिसंबर के बाद कई पत्र आपको लिखे। 1 दिसंबर को मैंने जन लोकपाल बिल की एक कॉपी भी आपको

---

* NAC (National Advisory Committee) = राष्ट्रीय सलाहकार समिति।

भेजी थी। हमें कोई उत्तर नहीं मिला। जब मैंने आपको लिखा कि मैं अनिश्चितकालीन अनशन पर बैठ जाऊँगा, तब जाकर आपने तत्परता दिखाई और मुझे 7 मार्च को विचार-विमर्श के लिए बुलाया। मुझे आश्चर्य है कि सरकार अनिश्चित-कालीन अनशन की धमकियों का ही जवाब देती है। उसके पहले 'इंडिया अगेंस्ट करप्शन' के प्रतिनिधि विभिन्न मंत्रियों से मिलते रहे और जन लोकपाल बिल के लिए उनका समर्थन माँगते रहे। आपके साथ हमारी भेंट के कुछ घंटों पहले हमें श्री मोइली के दफ्तर से एक फोन आया और हमें सूचित किया गया कि जन लोकपाल बिल की कॉपी उनके दफ्तर में मिल नहीं रही है और उन्हें इस बिल की एक और कॉपी भिजवा दी जाए। इस उदाहरण से ही पता चलता है कि सरकार जन लोकपाल बिल के बारे में कितनी गंभीरता दिखा रही है !

(घ)   प्रिय डॉ. मनमोहन सिंहजी, अगर आप मेरी जगह होते, तब भी क्या उपर्युक्त प्रक्रियाओं में आपका इतना ही विश्वास होता ? अगर कोई और प्रक्रिया चल रही है तो कृपया उसके बारे में भी मुझे बताने का कष्ट करें। यदि आप अब भी सोचते हैं कि मैं बेचैन हूँ तो मुझे खुशी है कि मैं बेचैन हूँ, क्योंकि भ्रष्टाचार के खिलाफ आपकी सरकार द्वारा विश्वसनीय प्रयासों के अभाव में सारा देश इस समय बेचैनी महसूस कर रहा है।

4.   हम क्या माँग रहे हैं ? हम यह नहीं कह रहे हैं कि आप हमारा बिल स्वीकार कर लें, जो हमने बनाया है। लेकिन चर्चा करने के लिए एक विश्वसनीय मंच—एक संयुक्त समिति का गठन तो किया ही जा सकता है, जिसमें कम-से-कम आधे सदस्य, हमारे सुझाव के अनुसार, सिविल सोसाइटी से हों। आपके प्रवक्तागण यह कहकर राष्ट्र को भ्रमित कर रहे हैं कि ऐसी कोई संयुक्त समिति बनाने का कोई पूर्वोदाहरण नहीं है। महाराष्ट्र में कम-से-कम सात कानूनों का प्रारूप ऐसी ही संयुक्त

समितियों द्वारा तैयार किया गया था और महाराष्ट्र की विधानसभा में पेश किया गया था। उस समय के कानूनों में एक सबसे बढ़िया कानून, 'महाराष्ट्र आर.टी.आई. एक्ट' था, जिसका मसौदा एक संयुक्त समिति ने बनाया था। केंद्र में भी जब दो वर्ष पहले 25,000 आदिवासी दिल्ली आए थे, आपकी सरकार ने भूमि संबंधी मसलों पर एक संयुक्त समिति का गठन 48 घंटों के अंदर कर दिया था। आप स्वयं उस समिति के अध्यक्ष थे।

इसका मतलब है कि सरकार, भ्रष्टाचार को छोड़कर, किसी भी अन्य विषय पर संयुक्त समिति बनाने के लिए तैयार है। क्यों?

5. यह भी कहा जा रहा है कि सरकार तो हमसे बात करना चाहती है, हम ही उनसे बात नहीं कर रहे हैं। यह बिलकुल झूठी बता है। कोई भी एक बैठक बताएँ, जब आपने हमें बुलाया और हम नहीं पहुँचे? हम संवाद में और संवाद को बनाए रखने में पक्का विश्वास रखते हैं। कृपया यह कहकर राष्ट्र को भरमाएँ नहीं कि हम बातचीत से पीछे हट रहे हैं।

आपसे हमारा अनुरोध है कि भ्रष्टाचार को जड़ से मिटाने के लिए कुछ विश्वसनीय कदम उठाएँ। कृपया हमारे आंदोलन में दोष निकालना और कुचक्रों का संदेह करना बंद करें। हमारे आंदोलन में ऐसा कुछ भी नहीं है। अगर कुछ है भी, तब भी उसकी आड़ लेकर आप भ्रष्टाचार को समाप्त करने की अपनी जिम्मेदारी से बच नहीं सकते।

सादर
के.बी. हजारे

☐

5

दूसरी क्रांति की शुरुआत

~ ❖ ~

अगस्त (2011) में अन्ना हजारे ने एक बार फिर भ्रष्टाचार के खिलाफ बिगुल फूँक दिया। अन्ना ने अपने समर्थकों के साथ लोकसभा में सरकार द्वारा पेश किए गए कमजोर लोकपाल बिल के खिलाफ विरोध शुरू करते हुए मुंबई के दादर से एक रैली निकाली।

गांधी टोपी पहने सैकड़ों समर्थकों और दो पहिया एवं चार पहिया वाहनों में सवार लोगों के दल के साथ हजारे ने सुबह 9 बजे रैली शुरू की। महात्मा गांधी की तर्ज पर ही इस गांधीवादी ने अपने आंदोलन का शांतिपूर्ण तरीके से आगाज किया।

अन्ना द्वारा 9 अगस्त (2011) को ही इस दूसरी क्रांति का दिन इसलिए चुना गया, क्योंकि इसी दिन महात्मा गांधी ने 'अंग्रेजो, भारत छोड़ो' का नारा दिया था और भारत छोड़ो आंदोलन की शुरुआत की थी।

पिछले 42 वर्ष में संसद् में आठ बार लोकपाल विधेयक पेश होने के बावजूद पारित नहीं होने को लोकतंत्र पर गंभीर प्रश्नचिह्न करार देते हुए विख्यात सामाजिक कार्यकर्ता अन्ना हजारे ने चेतावनी दी कि 15 अगस्त तक इस विधेयक के पास नहीं होने पर वे फिर से आंदोलन शुरू कर देंगे; लेकिन उनका प्रयास सामूहिक भागीदारी और सहमति से इसे लागू कराना है।

लोकपाल विधेयक का मसौदा तैयार करने के लिए गठित संयुक्त समिति के स्वरूप पर योग गुरु बाबा रामदेव की आपत्ति के बारे में पूछे जाने पर प्रसिद्ध गांधीवादी ने कहा, 'इस विषय में कोई विवाद नहीं है। उनकी बाबा रामदेव से बात हुई है। योग गुरु भी देश-हित की बात करते हैं। इस समिति के माध्यम से देश-हित को सर्वोपरि बनाया गया है। देश-हित के आगे मामूली विषयों का कोई महत्त्व नहीं है।''

''मेरी संसद् में पूरी आस्था है और हमने लोकशाही को स्वीकार भी किया है। लेकिन प्रजा की सत्ता को दरकिनार नहीं किया जा सकता। विधायकों और सांसदों को देश की तिजोरी की रक्षा का दायित्व दिया गया है, लेकिन ऐसा नहीं हो रहा है।'

उन्होंने कहा कि प्रजा मालिक है, लेकिन सेवक होते हुए जनप्रतिनिधि लोकपाल विधेयक लाने की उसकी माँग नहीं मान रहे हैं। कुछ लोगों के अन्ना पर 'ब्लैकमेल' करने का आरोप लगाये जाने का उल्लेख करते हुए हजारे ने कहा, ''अगर कुछ लोगों को लगता है कि मैं ब्लैकमेल कर रहा हूँ तो देश और जनता के लिए मैं ऐसा करता रहूँगा।''

संयुक्त समिति और मसौदा तैयार करने में मतभेद की संभावना के बारे में पूछे जाने पर उन्होंने कहा, ''16 अप्रैल को समिति की पहली बैठक होगी और दो महीने में मसौदा तैयार करना है। समिति की संपूर्ण काररवाई को वीडियो कॉन्फ्रेंसिंग के माध्यम से देश के समक्ष पेश किया जाएगा और पूरी पारदर्शिता बरती जाएगी।''

हजारे ने कहा कि ''लोकपाल विधेयक से 90 प्रतिशत भ्रष्टाचार पर काबू किया जा सकेगा, शेष 10 प्रतिशत भ्रष्टाचार पर काबू पाने के लिए चुनाव सुधार की जरूरत है, जो अगले चरण में किया जाएगा।''

उन्होंने कहा कि जनता को जन-प्रतिनिधियों को वापस बुलाने और चुनाव में उम्मीदवारों की नापसंदगी का अधिकार होना चाहिए। उन्होंने घोषणा की कि यह लड़ाई भ्रष्टाचार के खिलाफ विधेयक तक ही सीमित नहीं रहेगी बल्कि चुनाव सुधार के लिए भी संघर्ष किया जाएगा।

देश की चुनाव-प्रणाली में व्यापक सुधार की जरूरत पर जोर देते हुए हजारे ने कहा कि ''जनता को जन-प्रतिनिधियों को वापस बुलाने का अधिकार होना चाहिए। कोई सांसद, विधायक या पार्षद अगर जनता से बिना पूछे पैसा खर्च करता है तो लोगों को उसे वापस बुलाने का अधिकार होना चाहिए।''

यह पूछे जाने पर कि आंदोलन को युवाओं का समर्थन मिलने के बीच क्या उन्हें कांग्रेस समेत विभिन्न राजनीतिक दलों की युवा शाखाओं से भी सहयोग मिला है, उन्होंने कहा, ''आंदोलन को किसी राजनीतिक दल की युवा शाखा से सहयोग नहीं मिला है। मैं चाहता भी नहीं कि कोई राजनीतिक शाखा इसका समर्थन करे और राजनीतिक लाभ प्राप्त करने का प्रयास करे।''

इसी बीच केंद्रीय सूचना आयोग के सूचना आयुक्त शैलेष गांधी ने रविवार

को मजबूत लोकपाल विधेयक के लिए अन्ना हजारे के आंदोलन को समर्थन देते हुए कहा कि लोकसभा में पेश लोकपाल विधेयक भ्रष्टाचार को बढ़ावा देने वाला है।

लोकपाल विधेयक की प्रतियाँ जलाने के लिए जंतर-मंतर पर हुए हजारे पक्ष के विरोध-प्रदर्शन में शामिल होते हुए गांधी ने कहा कि मैं इस मुद्दे का इसलिए समर्थन कर रहा हूँ, क्योंकि मैं पहली बार देख रहा हूँ कि देश के लोग क्रिकेट को छोड़कर भारत के हित की बात कर रहे हैं।

उन्होंने कहा कि जैसा लोकपाल विधेयक संसद् में पेश हुआ है, वह भ्रष्टाचार को बढ़ावा देने वाला है। देश में एक भ्रष्टाचार-निरोधक कानून भी है; लेकिन यह लोकपाल विधेयक तो भ्रष्टाचार को बढ़ावा देनेवाला कानून बन जाएगा।

सूचना आयुक्त ने लोकपाल विधेयक में शिकायतकर्ता के खिलाफ भी सजा का प्रावधान रखे जाने पर आपत्ति जताई। उन्होंने कहा कि शिकायतकर्ता का बचाव जरूरी है। गांधी ने कहा कि अगर शिकायतकर्ता को सजा होने लगेगी तो ऐसे विधेयक से भ्रष्टाचार खत्म नहीं होगा।

सोनिया गांधी को चिट्ठी

अन्ना हजारे ने कांग्रेस अध्यक्ष सोनिया गांधी को पत्र लिखकर कांग्रेस नेताओं द्वारा उन्हें भाजपा और आर.एस.एस. का मुखौटा बताए जाने पर कड़ा ऐतराज जताया। उन्होंने कहा कि सरकार में बैठे लोग धोखेबाज हैं और झूठ बोलते हैं।

हजारे ने सोनिया को लिखे पत्र में लोकपाल विधेयक के संसद् के मानसून सत्र में पारित नहीं होने की स्थिति में 16 अगस्त से फिर अनशन पर जाने की बात दोहराई। उन्होंने कहा कि उन्हें 30 जून तक विधेयक का मसौदा तैयार हो पाने पर भी संदेह है। कांग्रेस के नेता और सरकार के मंत्री उन पर झूठे आरोप लगा रहे हैं और उन्हें बदनाम करने की साजिश रच रहे हैं। इसके चलते वे इस निर्णय पर पहुँच गए हैं कि सरकार में बैठे लोग 'धोखा देते हैं और झूठ बोलते हैं'।

कांग्रेस नेताओं के बयानों से आहत हजारे ने कहा कि ''5 अप्रैल (2011) को जंतर-मंतर पर देशवासियों ने हमारे आंदोलन को जिस तरह समर्थन दिया, वैसा समर्थन फिर नहीं मिले, इसीलिए कांग्रेस के वरिष्ठ नेता मुझे बदनाम करने की कोशिश कर रहे हैं। यह मुझे लोकशाही के लिए चिंता का विषय लगता है।''

हजारे ने सोनिया को यह पत्र 9 जून को हिंदी में लिखा था। इसे उनके आंदोलन 'इंडिया अगेंस्ट करप्शन' की ओर से सार्वजनिक किया गया।

गांधीवादी अन्ना हज़ारे ने सोनिया से कहा कि "आपकी पार्टी के कई वरिष्ठ नेताओं ने कहा कि अन्ना तो भाजपा और संघ का मुखौटा हैं। 73 साल के अपने जीवन में मैं कभी भी किसी पार्टी के नजदीक नहीं रहा। इसका कारण यह है कि हर पार्टी और पक्ष में भ्रष्टाचार नजर आता है।"

हजारे ने सोनिया से कहा कि "5 अप्रैल को जब मैंने जंतर-मंतर पर अनशन किया तो हमने किसी भी दल के नेता को मंच पर आने की अनुमति नहीं दी। पूरे देशवासियों ने यह देखा और आप भी इस बात को जानती हैं। ऐसे में मुझ पर भाजपा और संघ का मुखौटा होने का आरोप लगाना कहाँ तक सही है?"

उन्होंने आगे लिखा कि "अनशन के बाद मैं गुजरात गया और कहा कि महात्मा गांधी का राज्य होते हुए भी वहाँ कई घोटाले हैं। वहाँ भाजपा की सरकार है। अगर मेरा भाजपा से संबंध होता तो मैं इस तरह की बात क्यों कहता?"

हजारे ने कहा कि "काले धन के मुद्दे पर बाबा रामदेव के अनशन में शामिल होने के बारे में मैंने एक शर्त रखी थी कि मंच पर किसी पार्टी के लोग या सांप्रदायिक तत्त्वों के नहीं होने पर ही मैं रामलीला मैदान आऊँगा। ऐसे में मुझ पर भाजपा और संघ का मुखौटा होने का आरोप कैसे लगाया जा सकता है? अगर इस बारे में कांग्रेस के पास कोई ठोस सबूत है तो वह कृपया उन्हें सार्वजनिक करें।" गौरतलब है कि पिछले दिनों कांग्रेस नेताओं ने हजारे पर भाजपा और संघ का मुखौटा होने का आरोप लगाया था।

हजारे ने सोनिया से कहा कि आपकी पार्टी के महासचिवों द्वारा ये महाझूठी बातें कही गई हैं। ये मुझे चिंता का विषय लगती हैं और आहत करती हैं। हजारे ने लोकपाल विधेयक के मुद्दे पर भी कांग्रेस और सरकार को आड़े हाथों लिया।

उन्होंने कांग्रेस अध्यक्ष से सवाल किया कि सरकार को अगर लोकपाल विधेयक संसद् में पेश करने में रुचि है तो नागरिक समाज के सदस्यों के साथ इस तरह का दुर्व्यवहार क्यों किया गया?

हजारे ने कहा कि सरकार के कई जिम्मेदार मंत्रियों की झूठ बोलकर मुझे बदनाम करने की साजिश और लोकपाल विधेयक में महत्त्वपूर्ण मुद्दों को शामिल करने के प्रति सरकार की उदासीनता को देखते हुए मैं इस निर्णय पर पहुँचा हूँ कि सरकार में बैठे लोग धोखा देते हैं और झूठ बोलते हैं। सोनिया को लिखे

पत्र में श्री अन्ना हजारे ने दोहराया कि अगर 15 अगस्त (2011) तक एक सख्त लोकपाल कानून नहीं बना तो जब तक शरीर में प्राण है, वे अनशन करेंगे।

उन्होंने कहा कि "मेरी विनती है कि आप अपनी पार्टी के कई जिम्मेदार लोगों को बेवजह किसी का चरित्र-हनन करने से रोकें और सरकार भी जन लोकपाल विधेयक के बारे में जनता को गुमराह करने की कोशिश नहीं करे।"

इसी बीच प्रधानमंत्री मनमोहन सिंह ने कहा कि एक महत्त्वपूर्ण नेता के तौर पर वे सामाजिक कार्यकर्ता अन्ना हजारे का सम्मान करते हैं, जिन्होंने ग्रामीण विकास के क्षेत्र में काफी अच्छा काम किया है और इसके लिए पूरा देश उनकी सराहना करता है।

अन्ना को मनाने में नाकामी

दूसरी क्रांति की शुरुआत के नियत दिन दिल्ली पुलिस के आला अधिकारियों के 90 मिनट तक मनाने के बावजूद गांधीवादी अन्ना हजारे निषेधाज्ञा का उल्लंघन कर मंगलवार 16 अगस्त, 2011 से अनशन करने की अपनी योजना से तनिक भी नहीं डिगे। सुबह करीब 7.30 बजे पुलिस ने सूचित किया था कि हजारे को हिरासत में लिया जा रहा है, क्योंकि उन्हें अनशन त्यागने के लिए मनाने के सभी प्रयास नाकाम रहे। हजारे को दिल्ली के मयूर विहार इलाके से हिरासत में लिया गया। दिल्ली पुलिस के आयुक्त (अपराध) अशोक चाँद ने सुबह 6 बजे मयूर विहार पहुँचकर हजारे को मनाने का प्रयास किया। देखते-ही-देखते वहाँ लोगों की भारी भीड़ जमा हो गई। हजारे को सुबह करीब 7.15 बजे हिरासत में लिया गया। सादे कपड़े में 10 पुलिसकर्मियों ने इस काररवाई को अंजाम दिया। हजारे के समर्थकों ने इसका विरोध किया और नारेबाजी की। हिरासत में लिये जाने की खबर आने के बाद उनके समर्थकों ने रास्ता रोक लिया और पुलिस वाहन के सामने आ गए। उनके समर्थकों ने पुलिस वाहन को चारों ओर से घेर लिया। पुलिस को 2 किलोमीटर तक जाने में 45 मिनट का समय लग गया और इसके बाद वे हजारे को लेकर सिविल लाइंस रवाना हो पाए।

इसके आगे का घटनाक्रम सिलसिलेवार इस प्रकार है—

मंगलवार, 16 अगस्त, 2011

- अनशन त्यागने के लिए हजारे को मनाने में नाकाम रही पुलिस।
- दिल्ली पुलिस ने सुबह 7.30 पर सामाजिक कार्यकर्ता अन्ना हजारे को

हिरासत में लिया।

- अन्ना के साथ ही अरविंद केजरीवाल और मनीष सिसौदिया भी गिरफ्तार।
- अन्ना समर्थकों ने रोका पुलिस का रास्ता।
- लगभग 8.15 पर उन्हें पुलिस मेस ले जाया गया।
- गिरफ्तारी के बाद देश भर में आक्रोश।
- किरण बेदी और शांति भूषण ने जताई नाराजगी। गिरफ्तारी के खिलाफ सुप्रीम कोर्ट जाने को कहा।
- राजघाट से किरण बेदी और शांति भूषण गिरफ्तार।
- पुलिस मेस से पुलिस अन्ना को लेकर सिविल लाइंस पहुँची।
- अन्ना के समर्थन में पूरे देश में प्रदर्शन।
- लगभग 11 बजे पुलिस ने अन्ना को सिविल लाइंस से हटाया।
- भाजपा सहित सभी विपक्षी दल नाराज।
- केंद्रीय सूचना प्रसारण मंत्री अंबिका सोनी ने कहा कि सबको कानून का पालन करना होगा।
- संसद् में विपक्ष ने प्रश्नकाल स्थगित कर बहस की माँग की।
- लोकसभा 11.30 बजे और राज्यसभा 12 बजे तक स्थगित।
- सरकार ने कहा, 12 बजे बयान देंगे गृह मंत्री पी. चिदंबरम
- दिल्ली का छत्रसाल स्टेडियम आंदोलनकारियों से भरा।
- आंदोलनकारियों को बवाना इंडस्ट्रियल एरिया में भेजा।
- लोकसभा में विपक्ष की नेता सुषमा स्वराज ने प्रधानमंत्री से बयान देने की माँग की।
- संसद् की काररवाई दिन भर के लिए स्थगित।
- सोलापुर में 1,000 से ज्यादा आंदोलनकारी गिरफ्तार।
- पुणे-अहमदाबाद मार्ग पर कई कि.मी. का जाम।
- मुंबई के लोखंडवाला में व्यापारियों ने बंद की दुकानें।
- उत्तर प्रदेश में अदालतों का कामकाज ठप, वकीलों ने की हड़ताल।
- प्रशांत भूषण ने कहा कि बुधवार शाम 4 बजे इंडिया गेट से संसद् तक जुलूस।
- सरकारी कर्मचारियों से भी छुट्टी लेकर आंदोलन में शामिल होने को कहा।
- सोनीपत में आंदोलनकारियों ने रोकी ट्रेन।

- प्रणव मुखर्जी ने कहा, विपक्ष ने चिदंबरम को बयान देने से रोका।
- अन्ना पर लगाया शांति भंग करने का आरोप।
- मुंबई में 2 बजे से जेल भरो आंदोलन।
- छत्रसाल स्टेडियम के बाहर भी समर्थकों का जमावड़ा, सड़क जाम।
- पुलिस की तीन कंपनियाँ स्टेडियम पर तैनात।
- चिदंबरम का बयान—टीम अन्ना ने पुलिस की शर्तें मानने से इनकार किया था।
- दिल्ली में 7,000 लोग गिरफ्तार।
- चिदंबरम को नहीं पता, अन्ना कहाँ हैं।
- किरण बेदी ने कहा, मुझे किसी भी वक्त न्यायिक हिरासत में तिहाड़ जेल भेजा जा सकता है।
- किरण बेदी ने जमानत लेने से इनकार किया।
- अन्ना के समर्थन में जे.पी. नारायण के आंदोलन में भाग लेनेवाले 'चेतना मंच' नामक संगठन के सदस्य धरने पर बैठ गए।
- छत्रसाल स्टेडियम में सी.आर.पी.एफ. तैनात।
- अन्ना हजारे 7 दिन की न्यायिक हिरासत में।
- अन्ना को तिहाड़ जेल भेजा गया।
- अरविंद केजरीवाल, मनीष सिसोदिया को भी अन्ना के साथ जेल भेजा गया।

बुधवार, 17 अगस्त, 2011

- दूसरे दिन भी अन्ना का अनशन जारी।
- अन्ना ने तिहाड़ जेल में गुजारी रात, जेल के बाहर डटे रहे समर्थक।
- जेल से छूटकर मनीष सिसौदिया ने डाला जेल के बाहर डेरा।
- तिहाड़ जेल के साथ ही छत्रसाल स्टेडियम में भी लोगों की भीड़।
- दिल्ली में अन्ना के समर्थन में ऑटो हड़ताल।
- दोपहर 4 बजे इंडिया गेट से संसद् तक मार्च।
- अन्ना को मिला बाबा रामदेव का समर्थन। दिल्ली आए।
- सुबह 10 बजे कांग्रेस कोर कमेटी की बैठक।
- गृह सचिव ने कहा, अन्ना देश भर में कहीं भी जा सकते हैं।
- दिल्ली पुलिस लेगी जे.पी. पार्क पर फैसला।

- मनीष सिसौदिया ने की तिहाड़ जेल के बाहर इकट्ठा होने की अपील।
- 11 बजे किरण बेदी और प्रशांत भूषण तिहाड़ जेल पहुँचे।
- अन्ना के समर्थन में रालेगण सिद्धि गाँव बंद। अन्ना के गाँव में बच्चे, बूढ़े, युवा और महिलाएँ सभी सड़क पर।
- कांग्रेस कोर ग्रुप की बैठक में फैसला, अन्ना हजारे की गिरफ्तारी पर प्रधानमंत्री मनमोहन सिंह संसद् में बयान देंगे।
- प्रधानमंत्री मनमोहन सिंह का संसद् में बयान, अन्ना का रास्ता गलत।
- अन्ना की गिरफ्तारी पर जताया अफसोस।
- प्रधानमंत्री ने कहा कि कानून बनाने का हक संसद् का। संसद् को उसका काम करने देना चाहिए।
- राज्यसभा में विपक्ष के नेता अरुण जेटली ने कहा कि देश घोटालों से त्रस्त है और सरकार में राजनीतिक इच्छा-शक्ति का अभाव दिख रहा है।
- जेटली ने कहा कि ड्रॉफ्टिंग कमेटी में विपक्ष को नहीं रखा गया है। सरकार को समस्या की जड़ तक जाना चाहिए।
- 10.45 बजे किरण बेदी और स्वामी अग्निवेश ने कहा कि अन्ना तिहाड़ से निकलकर जे.पी. पार्क जाएँगे।
- लगभग 12 बजे प्रशांत भूषण ने कहा कि जब तक जे.पी. पार्क जाने की इजाजत नहीं मिलती, अन्ना जेल में ही रहेंगे।
- दोपहर 12.55 पर जेल का गेट खुला। किरण बेदी, मनीष सिसौदिया, मेधा पाटेकर, स्वामी अग्निवेश, प्रशांत भूषण आदि जेल के अंदर गए।
- बाबा रामदेव और श्री श्री रविशंकर भी अन्ना से मिलने जेल पहुँचे।
- 3 बजे सभी अन्ना से मिलकर लौटे। समर्थकों से इंडिया गेट पहुँचने की अपील। 4 बजे मार्च शुरू।
- प्रशांत भूषण, श्री श्री रविशंकर और मनीष सिसौदिया ने की अनशन में शामिल होने की अपील।
- मनीष सिसौदिया ने कहा कि पुलिस ने 5 दिन की इजाजत दी थी, अन्ना ने किया इनकार।
- सिसौदिया ने कहा कि अनशन के लिए एक माह की इजाजत चाहते हैं अन्ना। हम रामलीला मैदान पर अनशन के लिए तैयार।
- अन्ना हजारे के समर्थन में दूसरे दिन भी देश भर में प्रदर्शन और धरनों का दौर जारी रहा।

- हजारे समर्थकों ने आरोप लगाया कि जेल में अन्ना हजारे को मोबाइल फोन और टी.वी. का इस्तेमाल करने की अनुमति नहीं है।
- प्रधानमंत्री मनमोहन सिंह ने अन्ना प्रकरण पर वरिष्ठ मंत्रियों के साथ मंत्रणा की।
- केंद्र सरकार ने अन्ना हजारे के जन लोकपाल विधेयक को खारिज किया।
- जेल के बाहर समर्थक पूरे उत्साह के साथ जुटे रहे।
- अन्ना को जेल से लेने गई एंबुलेंस को समर्थकों ने लौटाया।
- दिल्ली पुलिस अनशन के लिए तीन सप्ताह का समय देने को तैयार।
- अरविंद केजरीवाल और किरण बेदी ने पुलिस कमिश्नर बी.के. गुप्ता से मुलाकात की।
- अन्ना बुधवार रात को भी जेल में ही रहेंगे।

गुरुवार, 18 अगस्त, 2011

- अन्ना का अनशन आज भी जारी।
- अन्ना ने तिहाड़ जेल में रात गुजारी।
- किरण बेदी का ट्वीट, अन्ना 15 दिन के अनशन के लिए सहमत।
- अन्ना ने सरकारी डॉक्टर से जाँच कराने से इनकार किया।
- डॉ. नरेश त्रेहन अन्ना की जाँच करेंगे। डॉ. त्रेहन की टीम 24 घंटे अन्ना के साथ रहेगी ।
- अन्ना ने आंदोलन को बड़ा रूप देने के लिए देशवासियों को बधाई दी।
- अन्ना ने फिर की शांति बनाए रखने की अपील।
- उत्तर प्रदेश के मैनपुरी में अन्ना समर्थकों ने रेल रोकी।
- दिल्ली पुलिस ने जे.पी. पार्क से निषेधाज्ञा हटाई।
- दिल्ली पुलिस ने अन्ना को लिखित में दी इजाजत।
- रामलीला मैदान फिलहाल तैयार नहीं। मैदान सुधारने के लिए युद्ध स्तर पर काम।
- जयपुर में अन्ना की जय-जयकार। राजपरिवार भी सड़कों पर उतरा।
- देश में अन्ना हजारे की लहर और भ्रष्टाचार के खिलाफ मुखर हुआ अवाम।
- पूरे देश में अन्ना समर्थकों का जोश कम नहीं हुआ।

- 120 वर्षों में पहली बार डिब्बा पहुँचानेवालों का हड़ताल का फैसला। 2 लाख लोगों तक घर का खाना पहुँचाते हैं डिब्बाकर्मी। मुंबई में शुक्रवार को करीब 5 हजार डिब्बा कर्मचारी अन्ना के लिए हड़ताल करेंगे।
- आजाद मैदान पर अन्ना के लिए सजे सुर। कैलाश खेर भी मैदान में उतरे।
- ''हार्ट अटैक से मरने से बेहतर है देश और समाज के लिए मरना।''— अन्ना।
- अन्ना ने कहा कि जब तक जान में जान है, अनशन खत्म नहीं होगा।
- किरण बेदी ने जेल के भीतर अन्ना का इंटरव्यू लिया।
- तिहाड़ जेल में अन्ना हजारे और उनके साथियों को टेलीविजन सेट उपलब्ध कराया।
- जेल से अन्ना जाएँगे राजघाट। शहीद पार्क भी जाने का कार्यक्रम बना।
- शुक्रवार को सुबह 10 से 11 बजे के बीच रामलीला मैदान जाएँगे अन्ना हजारे।
- किरण बेदी ने रामलीला मैदान का अवलोकन किया और उसे तैयार होने पर मुहर लगाई।

शुक्रवार, 19 अगस्त, 2011

- तिहाड़ जेल में अन्ना का अनशन चौथे दिन भी जारी।
- जोशीले अंदाज में समर्थकों ने बिताई तिहाड़ के बाहर रात। रात 3 बजे लगाई पंचायत।
- रामलीला मैदान में अनशन की तैयारियाँ जोरों पर।
- बुजुर्गों ने सुबह 5.30 बजे यज्ञ-हवन का आयोजन किया।
- 4 बजे कीर्तन मंडली द्वारा भजनों का आयोजन।
- अन्ना के समर्थन में आज मुंबई में डिब्बेवालों की हड़ताल।
- अन्ना से मिलने अभिनेता नाना पाटेकर तिहाड़ जेल पहुँचे।
- अन्ना तिहाड़ से बाहर समर्थकों को संबोधित भी करेंगे।
- किरण बेदी ने कहा, सुबह 10 बजे जेल से बाहर निकलेंगे अन्ना।
- जनता के साथ मायापुरी तक जाएँगे, वहाँ से गाड़ी में सीधे राजघाट जाएँगे। राजघाट से विजय चौक जाएँगे।

- किरण बेदी ने समर्थकों से कहा कि जनता को किसी प्रकार की कोई तकलीफ न हो।
- पुलिस ने किए सुरक्षा के कड़े इंतजाम। रामलीला मैदान पर 3,000 पुलिसकर्मी तैनात।
- 11 बजे रामलीला मैदान पर भारी बारिश। बारिश में झूमे अन्ना के समर्थक।
- सुबह 11.15 बजे रामलीला मैदान से किरण बेदी ने कहा कि जब तक सरकार सही बिल नहीं लाएगी, हम यहाँ से नहीं जाएँगे।
- 11.40 बजे तिहाड़ जेल से बाहर निकले अन्ना हजारे।
- लगभग 68 घंटे बाद अन्ना जेल से निकले।
- अन्ना ने कहा, ''यह आजादी की दूसरी लड़ाई।''
- अन्ना की लोगों से अपील—मशाल को बीच में बुझने न दें।
- अन्ना ने कहा, ''मैं रहूँ न रहूँ, जलती रहेगी क्रांति की मशाल।''
- तिहाड़ जेल से निकलने के बाद अन्ना ने लहराया तिरंगा।
- राजघाट के लिए रवाना हुए। जनता का सैलाब भी अन्ना के साथ।
- खुले ट्रक में सवार अन्ना ने लोगों का अभिवादन किया। जनता का हुजूम बढ़ता ही गया।
- हजारे को वर्षा से बचाने के लिए उनके ऊपर छतरी लगा रखी थी।
- भारी वर्षा के बीच लोगों ने की नारेबाजी। अन्ना हजारे पर पुष्प-वर्षा।
- अरविंद केजरीवाल और मनीष सिसौदिया भी ट्रक में अन्ना के साथ।
- मायापुरी में समाप्त हुई रैली। अन्ना दूसरी गाड़ी में बैठकर राजघाट के लिए रवाना।
- डेढ़ घंटे में तय किया 3 कि.मी. का फासला।
- दोपहर 1.35 बजे राजघाट पहुँचे अन्ना। भीड़ ने किया जोशीला स्वागत।
- बापू की समाधि पर अन्ना ने दी श्रद्धांजलि और माथा टेका।
- राजघाट से सीधे रामलीला मैदान पहुँचे अन्ना हजारे। अन्ना का भव्य स्वागत।
- रामलीला मैदान पर अन्ना ने लोगों को संबोधित किया।
- उन्होंने कहा, ''अंग्रेज चले गए, लेकिन भ्रष्टाचार खत्म नहीं हुआ।''
- समर्थकों के बीच अन्ना ने कहा, ''सिर कटा सकते हैं, लेकिन झुका सकते नहीं।''

- सिर्फ लोकपाल नहीं, परिवर्तन भी चाहते हैं अन्ना।
- अन्ना ने कहा कि क्रांति कैसे होती है, देश के युवकों ने ये दिखाया।
- रामलीला मैदान में अन्ना का मेडिकल चेकअप हुआ।

शनिवार, 20 अगस्त, 2011

- अन्ना का अनशन पाँचवें दिन भी जारी।
- रामलीला मैदान में जगह-जगह पानी भरा। अरविंद केजरीवाल ने की सफाई की माँग।
- हजारे का मेडिकल चेकअप, स्वास्थ्य पूरी तरह ठीक।
- अन्ना का वजन 3.5 किलो कम हुआ।
- अरविंद केजरीवाल की स्टैंडिंग कमेटी से अपील, सरकार को वापस लौटा दे लोकपाल बिल।
- पूर्व कानून मंत्री शांति भूषण ने कहा, सरकार चाहे तो 30 अगस्त तक पारित हो सकता है जन लोकपाल बिल।
- भाजपा नेता मुख्तार अब्बास नकवी ने लिखा प्रधानमंत्री को पत्र।
- भाजपा ने साधा सरकार पर निशाना। संसद् का संयुक्त सत्र बुलाने की माँग।
- 8 सितंबर को खत्म होनेवाला सत्र आगे बढ़ाने की अपील की।
- केंद्रीय मंत्री नारायण सामी की अन्ना को चेतावनी—अपनी हद में रहें।
- अनशन के 100 घंटे पूरे होने पर अन्ना ने कहा, लोकपाल के बाद किसानों के लिए भी लड़ेंगे। चुनाव-सुधार के लिए भी अनशन करेंगे।
- अभी 8-10 दिन और अनशन कर सकते हैं अन्ना।
- स्टैंडिंग कमेटी के चेयरमैन अभिषेक मनु सिंघवी ने कहा कि कमेटी मिनी संसद् है। कमेटी में सामूहिक फैसला होता है। लोकपाल बिल पर लोगों से मत माँगे हैं, नागरिक समाज भी सुझाव दे। हर सुझाव पर विचार किया जाएगा।
- प्रधानमंत्री मनमोहन सिंह ने कहा, हम लोकपाल बिल के समर्थन में।
- 30 तारीख तक बिल पास होना मुश्किल, प्रक्रिया पूरी होने में वक्त लगता है।
- प्रधानमंत्री भी मजबूत लोकपाल बिल के पक्ष में।

रविवार, 21 अगस्त, 2011

- केंद्रीय ऊर्जा मंत्री सुशील कुमार शिंदे ने अन्ना से बातचीत करने के लिए प्रधानमंत्री द्वारा उन्हें नियुक्त किए जाने से इनकार किया।
- वहीं सरकार में खींचतान का संकेत देते हुए संकट मोचक प्रणव मुखर्जी ने कह दिया कि लोकपाल के मसले पर सवाल गृह मंत्री से पूछे जाने चाहिए। वे वित्त मंत्रालय का कामकाज देखते हैं।
- लोकपाल बिल का अध्ययन करनेवाली संसदीय स्थायी समिति के अध्यक्ष कांग्रेसी सांसद अभिषेक मनु सिंघवी ने चौंकानेवाला परिणाम आने की संभावना जताकर सरकार की मंशा पर रहस्य गहरा दिया है।
- केंद्रीय मंत्री हरीश रावत ने कहा कि सरकार की ओर से कई स्तरों पर बातचीत की पहल शुरू हो गई है।
- इन दोनों ने अन्ना से मुलाकात के बाद केंद्रीय मंत्री कपिल सिब्बल से भेंट कर सेतु बनाने की कोशिश की।
- सरकार ने महाराष्ट्र के एक नौकरशाह तथा इंदौर के भय्यूजी महाराज के जरिए बातचीत का पिछला दरवाजा खोला।
- कोलकाता में प्रधानमंत्री को काले झंडे दिखाए गए और 'प्रधानमंत्री वापस जाओ' के नारे लगे।
- अन्ना के आह्वान पर दिल्ली में प्रधानमंत्री निवास समेत अन्यत्र मंत्रियों-सांसदों के घरों का घेराव। करीब 80 लोग हिरासत में लिये गए।
- रविवार को दिल्ली, मुंबई समेत देश के अन्य शहरों में धरना-प्रदर्शनों और रैलियों का जबरदस्त जोर रहा। दिल्ली और मुंबई की महारैली में हजारों लोगों ने हिस्सा लिया।

सोमवार, 22 अगस्त, 2011

- कपिल सिब्बल, अजहरुद्दीन और देश के अनेक सांसदों के घरों के सामने उमड़ा जन-सैलाब।
- अन्ना समर्थकों ने मुंबई में कांग्रेस सांसद प्रिया दत्त के घर के सामने भी नारेबाजी की।
- केंद्रीय वित्त मंत्री प्रणव मुखर्जी के घर के सामने भी विरोध-प्रदर्शन।
- दिल्ली में मुख्यमंत्री शीला दीक्षित के निवास के सामने अन्ना समर्थकों का प्रदर्शन।

- अन्ना के आह्वान पर देश भर में सांसदों के घरों पर प्रदर्शन जारी रहा।
- बॉलीवुड अभिनेता शत्रुघ्न सिन्हा ने कहा कि भ्रष्टाचार के मुद्दे पर मैं अन्ना के साथ हूँ।
- आध्यात्मिक गुरु श्री श्री रविशंकर सरकार का संदेश लेकर रामलीला मैदान पहुँचे।
- अन्ना हजारे की सेहत को लेकर टीम अन्ना के सदस्य बेहद चिंतित।
- सरकार से बातचीत के लिए टीम अन्ना की 5 सदस्यीय समिति तय।
- टीम अन्ना ने कहा कि सरकार की ओर से प्रस्ताव मिलने के बाद ही बातचीत शुरू होगी।
- श्री श्री रविशंकर और टीम अन्ना के बीच 2 घंटे से ज्यादा चली बैठक खत्म।
- लोकपाल बिल पास होने में 6 से 9 महीने का समय लग सकता है।
- सिंघवी ने संकेत दिया कि लोकपाल बिल संसद् के अगले सत्र में पास होने की उम्मीद।
- लोकपाल बिल के बारे में बातचीत करने के लिए शर्तें ठीक नहीं।
- लोकपाल बिल के बारे में स्टैंडिंग कमेटी 3 माह में रिपोर्ट देने की कोशिश करेगी।
- सिंघवी ने कहा कि लोकपाल बिल के लिए समय की जरूरत।
- संसद् की स्टैंडिंग कमेटी के अध्यक्ष अभिषेक मनु सिंघवी की प्रेस कॉन्फ्रेंस।
- जल्दबाजी में सरकार कोई फैसला नहीं लेगी, सरकार को कानून व्यवस्था की चिंता।
- कांग्रेस सांसद प्रिया दत्त ने यह कहकर सबको चौंका दिया कि प्रधानमंत्री को भी लोकपाल के दायरे में लाने में कोई बुराई नहीं है। प्रधानमंत्री डॉ. मनमोहन सिंह की शाम 7.30 बजे बैठक।
- किरण बेदी ने ट्वीटर पर लिखा कि खाना न खाने की वजह से अन्ना के शरीर में कीटोन की मात्रा अधिक हो गई है। वैसे उनका ब्लड प्रेशर और पल्स सामान्य हैं।
- मंगलवार को प्रधानमंत्री संसद् में बयान दे सकते हैं। मंगलवार से ही संसद् में लोकपाल बिल पर चर्चा की संभावना।
- संसद् में वापस लिया जा सकता है सरकारी लोकपाल बिल।

- संसद् में मंगलवार को पेश हो सकता है जन लोकपाल बिल।
- प्रधानमंत्री के घर बैठक 7.30 से 9 बजे तक चली।
- प्रधानमंत्री के आवास पर बैठक खत्म।
- अन्ना की जाँच कर रहे हैं डॉक्टर।
- शाम 7 बजे से मंच पर नहीं दिखे अन्ना।
- अन्ना हजारे की तबीयत बिगड़ी।

मंगलवार, 23 अगस्त, 2011

- अन्ना के अनशन का आठवाँ दिन।
- अन्ना की तबीयत नरम, पर जोश बरकरार।
- टीम अन्ना की बैठक जारी। बैठक में अन्ना के स्वास्थ्य पर चर्चा।
- अन्ना का वजन 600 ग्राम और कम हुआ। डॉक्टरों ने दी आराम करने और धूप से बचने की सलाह।
- सुबह 9 बजे अरविंद केजरीवाल ने कहा कि इस समस्या का राजनीतिक हल निकलेगा। 24 घंटे में निकल सकता है समाधान।
- फिर की शांतिपूर्वक प्रदर्शन की अपील, केजरीवाल ने कहा कि सांसदों से बात करें।
- प्रधानमंत्री मनमोहन सिंह या राहुल गांधी के साथ ही किसी भी जवाबदेह व्यक्ति से बात करने को तैयार।
- केजरीवाल ने कहा कि ट्रैफिक नियमों का पालन करें। किसी भी नेता को गाली न दें। अन्ना मंच पर आएँगे, लोगों से बात भी करेंगे।
- लोकपाल विधेयक पर सर्वदलीय बैठक बुधवार को।
- वामपंथी सहित 9 विपक्षी पार्टियों के नेताओं का संसद् के गेट पर धरना।
- अन्ना की अपील का असर, संसद् में गूँजी भ्रष्टाचार के खिलाफ आवाज।
- अन्ना के अनशन पर संसद् में घमासान।
- एक के बाद एक कई घोटाले सामने आए।
- लोकसभा में विपक्ष की नेता सुषमा स्वराज ने कहा कि सरकारी लोकपाल निष्प्रभावी।
- लगभग 17 घंटे बाद मंच पर आए अन्ना हजारे। समर्थकों को संबोधित भी किया।

- अन्ना ने कहा कि मैं सच्चा हूँ, मेरे पीछे भगवान् खड़ा है। डॉ. त्रेहन मुझे मरने नहीं देंगे। 1947 में सही आजादी नहीं मिली। जनता को सही आजादी मिले, इसलिए मंच पर बैठा।
- अन्ना ने कहा, मैं ठीक हूँ, सिर्फ 5.5 किलो वजन घटा है।
- देश को आगे बढ़ने के लिए भ्रष्टाचार रोकना जरूरी है।
- देश बदलने के लिए गाँव बदलना होगा और गाँव बदलने के लिए आदमी बदलना होगा। मैं आदमी बदलने का काम कर रहा हूँ। जिस गाँव में शराब की 35 भट्ठियाँ थीं, वहाँ आज तंबाकू तक नहीं मिलती।
- केजरीवाल ने कहा कि अन्ना से बात करने के बाद ही बताऊँगा बैठक का ब्यौरा।
- सलमान खुर्शीद और अरविंद केजरीवाल के बीच बैठक हुई।
- सरकार की ओर से प्रणव मुखर्जी वार्त्ताकार।
- किरण बेदी ने ट्वीटर पर लिखा कि अन्ना की तबीयत बिगड़ी, डॉ. त्रेहन को बुलाया गया। हम सभी उनकी सेहत को लेकर चिंतित हैं।
- प्रधानमंत्री ने अन्ना हजारे को अनशन खत्म करने के लिए पत्र लिखा।
- टीम अन्ना की तरफ से प्रशांत भूषण और अरविंद केजरीवाल प्रणव मुखर्जी से बात करेंगे। बातचीत शाम 6.30 बजे से शुरू होगी।
- प्रधानमंत्री मनमोहन सिंह से मिले कांग्रेस महासचिव राहुल गांधी। बैठक में प्रणव मुखर्जी भी मौजूद थे।
- अन्ना हजारे की सेहत बिगड़ी, डॉक्टरों ने अस्पताल में भरती होने की सलाह दी।
- डॉ. त्रेहन ने ड्रिप लगाने को कहा, लेकिन अन्ना ने इनकार किया और कहा कि आत्मा की आवाज पर फैसला करूँगा।
- प्रधानमंत्री ने पत्र भेजकर अन्ना हजारे से अनशन तोड़ने की अपील की।
- रामलीला मैदान पर आकर टीम अन्ना के सदस्यों ने लोगों को बातचीत की जानकारी दी।
- टीम अन्ना और प्रणव मुखर्जी के बीच बातचीत बेनतीजा। सरकार सुबह 10 बजे तक जवाब देगी। सरकार को तीन बिंदुओं पर आपत्ति।
- प्रधानमंत्री ने कांग्रेस कोर कमेटी की बैठक बुलाई। बैठक में प्रणव मुखर्जी, पी. चिदंबरम, अहमद पटेल भी शामिल।

बुधवार, 24 अगस्त, 2011

- अन्ना के अनशन का नौवाँ दिन।
- अन्ना के बिगड़ते स्वास्थ्य पर देश भर में चिंता का माहौल।
- दोपहर 3.30 बजे प्रधानमंत्री ने बुलाई सर्वदलीय बैठक।
- सुबह 8.30 बजे मेडिकल बुलेटिन जारी। अन्ना की सेहत में गिरावट।
- अन्ना का वजन 200 ग्राम और गिरा। बी.पी. 140/86 और पल्स 82।
- अन्ना को ग्लूकोज की जरूरत।
- भाजपा सांसद वरुण गांधी रामलीला मैदान पहुँचे।
- देश भर में अन्ना के समर्थन में प्रदर्शन जारी।
- सरकार ने तेज किए सुलह के प्रयास। अनशन टूटने के आसार।
- मंच पर आए अन्ना। 'वंदे मातरम्' और 'इनकलाब जिंदाबाद' के नारे लगवाने के बाद मंच पर बैठे।
- प्रधानमंत्री मनमोहन सिंह ने फिर अन्ना के अनशन तोड़ने की अपील की।
- अन्ना बोले, भ्रष्टाचार खत्म करने की सरकार की मंशा नहीं। सरकार डरती है, भ्रष्टाचार खत्म हुआ तो खाना नहीं मिलेगा। मेरा सिर्फ 6 किलो वजन कम हुआ है, मुझे लोगों से ताकत मिल रही है। सारे अफसरों को लोकपाल के दायरे में लाएँ। 64 साल में जो नहीं हुआ वो 10 साल में हो सकता है। आम आदमी की कोई सुनवाई नहीं। करप्शन की पूरी एक चेन है।
- लोकपाल के मुद्दे पर कड़ा रुख अपनाने में भाजपा की विफलता के विरोध में यशवंत सिन्हा ने लोकसभा से इस्तीफे की पेशकश की।
- शत्रुघ्न सिन्हा और उदय सिंह ने भी इस्तीफे की पेशकश की।
- सर्वदलीय बैठक के बाद फिर होगी सरकार के साथ बैठक।
- प्रधानमंत्री आवास के सामने अन्ना समर्थकों का प्रदर्शन।
- 3.30 पर सर्वदलीय बैठक शुरू। अन्ना मामले में सर्वसम्मति से फैसला लेना चाहती है सरकार।
- रामलीला मैदान के आसपास रैपिड एक्शन फोर्स तैनात।
- सरकार और टीम अन्ना के बीच दूसरे दौर की बातचीत हुई।
- अनशन तोड़ने पर असमंजस बरकरार।
- आज की बैठक ने निराश किया—प्रशांत भूषण।

- बातचीत अच्छी चल रही है—सलमान खुर्शीद।
- सरकार कल की बात से मुकरी—केजरीवाल।
- सरकार सिर्फ मीटिंग में उलझा रही है—किरण बेदी।
- जहाँ से शुरुआत हुई, फिर वहीं पहुँचे—टीम अन्ना।
- गुरुवार को फिर होगी बातचीत।

गुरुवार, 25 अगस्त, 2011

- अन्ना के अनशन का 10वाँ दिन। टीम अन्ना और सरकार में टकराव बढ़ा।
- रात भर जागे अन्ना के समर्थक। सरकार ने अन्ना की गिरफ्तारी की आशंका को नकारा।
- टीम अन्ना नहीं करेगी बातचीत की पहल।
- दोपहर 12 बजे फिर शुरू होगी वार्त्ता।
- अन्ना के समर्थन में दिल्ली के बाजार बंद।
- किरण बेदी ने सोशल नेटवर्किंग साइट पर कहा कि बातचीत बिगड़ने के लिए केंद्र सरकार की अंदरूनी राजनीति जिम्मेदार।
- अरविंद केजरीवाल ने कहा कि सिब्बल, चिदंबरम बातचीत नहीं चाहते।
- अन्ना को कुछ हुआ तो सरकार होगी जिम्मेदार।
- सरकार और भाजपा दोनों को अपना रुख साफ करना होगा।
- अन्ना की तबीयत ठीक, लेकिन समय बहुत कम।
- केजरीवाल ने हालाँकि साफ किया कि बातचीत के लिए रास्ते खुले।
- दिल्ली पुलिस ने अन्ना के अनशन पर बुलाई बैठक।
- सुबह 9.20 बजे डॉ. नरेश त्रेहन का बयान—अन्ना की हालत स्थिर, ब्लड प्रेशर स्थिर। अन्ना पर्याप्त आराम कर रहे हैं, इसलिए कीटोन की मात्रा भी सामान्य होने की संभावना।
- शाम को जारी होगा मेडिकल बुलेटिन।
- दिल्ली पुलिस ने गृह मंत्रालय को रामलीला मैदान पर चल रही गतिविधियों पर रिपोर्ट दी।
- अन्ना पर कानून तोड़ने का आरोप लगाया। तय समय सीमा के बाद भी लाउड स्पीकर का इस्तेमाल। मंच से भड़काऊ भाषण देने का आरोप। सरकारी डॉक्टर को जाँच न करने देने का भी आरोप।

- बैठक के बाद टीम अन्ना ने कहा, सरकार से बात करेंगे।
- लोकसभा में प्रणव मुखर्जी बोले—अनशन पर मैंने ऐसा नहीं कहा, हमें अन्ना की चिंता।
- प्रधानमंत्री को मामला सुलझने की उम्मीद।
- टीम अन्ना ने किया 'दिल्ली चलो' का आह्वान।
- शनिवार से लाखों की संख्या में लोग दिल्ली पहुँचे।
- तीन बार मंत्रियों ने कहा कि अन्ना का अनशन टीम अन्ना की समस्या।
- शाम 5 बजे पी.एम. के घर चलने की अपील। देश को जवाब दें प्रधानमंत्री। अगर पुलिस एक्शन लेती है तो हम गिरफ्तारी के लिए तैयार।
- लगभग 11.30 बजे अन्ना हजारे मंच पर आए।
- अन्ना ने कहा कि मेरा वजन 6.5 किलो कम हुआ।
- देशवासियों से ऊर्जा मिल रही है। मुझे विश्वास—जब तक लोकपाल बिल नहीं आएगा, मैं मरूँगा नहीं।
- प्रधानमंत्री मनमोहन सिंह का अन्ना को सलाम। कहा—अन्ना के साथ ही अरुणा राय और जे.पी. नारायण के मसौदे पर भी विचार होगा।
- संसद् की अन्ना से अनशन तोड़ने की अपील।
- ऐसा मजबूत लोकपाल बिल लाने का वादा, जो भ्रष्टाचार समाप्त कर देगा।
- कांग्रेस प्रवक्ता मनीष तिवारी ने अन्ना से माफी माँगी।
- विलासराव देशमुख ने की अन्ना हजारे से मुलाकात। मुलाकात के बाद प्रणव मुखर्जी से मिलने पहुँचे देशमुख।
- अन्ना से मिलने प्रधानमंत्री का संदेश लेकर गए थे।
- टीम अन्ना की कोर कमेटी की बैठक खत्म। सरकार अन्ना को लिखित प्रस्ताव भेजने पर सहमत।
- भाजपा अध्यक्ष नितिन गडकरी ने प्रधानमंत्री से अपील की कि वे देश-हित में तत्काल निर्णय लेकर अन्ना के अनशन को खत्म करवाएँ।
- टीम अन्ना की तीन शर्तें—1. हर राज्य में लोकायुक्त हो, 2. काम न होने पर अफसर पर जुर्माना हो, 3. सभी अफसर लोकपाल के दायरे में हों।
- अन्ना ने विपक्ष पर सवाल उठाया कि वह संसद् में सरकार को क्यों

नहीं घेर रहा है। देश के लिए अभी लंबी लड़ाई लड़ना बाकी है।

- अन्ना ने रामलीला मैदान से कहा कि क्रांति के लिए मशाल जलती रहे।
- भाजपा अध्यक्ष नितिन गडकरी का अन्ना हजारे को समर्थन।
- जन लोकपाल बिल पर शुक्रवार को संसद् में चर्चा तय और धारा 184 के तहत वोटिंग का प्रावधान भी। सरकार सभी लोकपाल बिल पर चर्चा के लिए राजी।
- नासिक में अन्ना समर्थकों पर पुलिस ने लाठीचार्ज किया।
- जन लोकपाल बिल के संदर्भ में प्रणव मुखर्जी के घर बैठक हुई। बैठक में मंथन हुआ कि संसद् में सरकार की बात कैसे रखी जाए।
- टीम अन्ना को सरकार के जवाब का इंतजार।

शुक्रवार, 26 अगस्त, 2011

- अन्ना के अनशन का 11वाँ दिन।
- रामलीला मैदान पर देर रात शराबियों ने हंगामा किया।
- पुलिस और सी.आर.पी.एफ. जवानों से की मारपीट, एक जवान को चोट। पुलिस ने बगैर डंडे के किसी तरह धकेला। इंडिया गेट पर भी बाइकर्स ने किया हंगामा।
- संसद् में आज जन लोकपाल बिल पर चर्चा। अन्ना का अनशन टूटने के आसार। अरुणा राय के बिल पर भी होगी सदन में चर्चा। नियम 184 के तहत हो सकती है चर्चा।
- डॉक्टरों ने कहा कि अन्ना का स्वास्थ्य ठीक।
- कांग्रेस सांसद संदीप दीक्षित ने कहा कि आज टूट सकता है अन्ना का अनशन।
- केंद्रीय संसदीय कार्य मंत्री पवन बंसल के अनुसार संसद् में जन लोकपाल बिल पर चर्चा पर फैसला नहीं।
- किसी भी सांसद ने नहीं दिया चर्चा का नोटिस।
- लोकसभा में नियम 193 के तहत होगी चर्चा। जगदंबिका पाल, संजय निरुपम और अनु टंडन ने दिया चर्चा का नोटिस।
- किरण बेदी ने कहा, माँग पूरी होने तक अन्ना का अनशन नहीं टूटेगा। हम मजबूत गणतंत्र के लिए धर्मयुद्ध लड़ रहे हैं। किरण बेदी के कहा कि यह किसी की जीत या हार नहीं। भारत की जीत होने वाली है।

- राहुल गांधी का संसद् में बयान, सिर्फ लोकपाल से नहीं मिटेगा भ्रष्टाचार।
- राहुल ने भ्रष्टाचार के खिलाफ लड़ने के लिए अन्ना को दिया धन्यवाद।
- भ्रष्टाचार मिटाने के लिए दृढ़ राजनीतिक इच्छा-शक्ति जरूरी।
- संसद् के बाहर प्रियंका गांधी ने भी जताई राहुल के बयान से सहमति।
- अन्ना की चिट्ठी लेकर संसद् पहुँचे विलासराव देशमुख।
- प्रधानमंत्री को अन्ना का संदेश, उनकी तीनों माँगें मानने पर ही वे अनशन तोड़ेंगे।
- लोकपाल बिल पर संसद् में चर्चा के दौरान हंगामा, सदन सायं 3.30 बजे तक स्थगित।
- कांग्रेसी सांसद धरने पर बैठे, कहा—भाजपा नहीं चाहती चर्चा।
- भाजपा सरकार से नाराज, कहा—नियम 193 पर चर्चा की जानकारी नहीं थी।
- संसदीय कार्य मंत्री पवन बंसल भी भाजपा के रुख से नाराज।
- लोकपाल बिल पर शनिवार को हो सकती है चर्चा।
- अन्ना हजारे का वजन 7.2 किलोग्राम घटा। डॉ. त्रेहन ने सेहत को लेकर चिंता जताई।
- मायावती ने अन्ना को चुनाव लड़ने की सलाह दी।
- अन्ना समर्थकों ने राहुल गांधी के घर के बाहर नारेबाजी की।
- संसद् परिसर में घुसा अन्ना समर्थक और नारेबाजी की।
- अन्ना हजारे ने कहा कि तीन माँगों पर प्रस्ताव इसी सत्र में पारित हो।
- राहुल गांधी ने उठाए अन्ना के लोकपाल पर सवाल।
- प्रणव मुखर्जी के बयान के बाद शनिवार को चर्चा, वोटिंग नहीं।
- लोकपाल पर आज संसद् में चर्चा नहीं हो सकी।
- आधी रात को कानून मंत्री सलमान खुर्शीद के घर बैठक हुई। बैठक में प्रशांत भूषण और मेधा पाटेकर मौजूद थे।

शनिवार, 27 अगस्त, 2011

- अन्ना के अनशन का 12वाँ दिन।
- शनिवार को भी होगा संसद् सत्र। लोकपाल बिल पर नियम 193 के तहत ही होगी चर्चा।
- सुबह 11 बजे प्रणव मुखर्जी के बयान के बाद होगी चर्चा।

- डॉ. नरेश त्रेहन ने कहा कि अन्ना की सेहत को लेकर चिंता बढ़ी।
- किरण बेदी ने कहा कि भगवान् से प्रार्थना करें और लोकसभा टी.वी. जरूर देखें, ताकि पता चल सके कि आपके सांसद क्या कह रहे हैं।
- अन्ना ने कहा कि जनता के जोश से ऊर्जा मिल रही है। उन्होंने कहा कि डॉक्टरों ने कहा कि मेरी जान को खतरा नहीं है। अनशन के बाद भी मुझे थकावट नहीं। अन्ना ने कहा कि लोकपाल के बिना प्राण नहीं जाएँगे। ये आंदोलन चलता रहेगा। तीन-चार दिन और मुझे कुछ नहीं होगा। समर्थकों को धन्यवाद देने के लिए शब्द नहीं हैं।
- संसद् में प्रणव मुखर्जी का जन लोकपाल पर बयान। ड्रॉफ्टिंग कमेटी की नौ बार बैठक हुई। 40 में से 20 मुद्दों पर सहमति बनी। टीम अन्ना के साथ प्रधानमंत्री, जज और लोकायुक्त पर विवाद। सभी कर्मचारियों को लोकपाल के दायरे में रखने पर भी मतभेद। टीम अन्ना की माँग थी कि जन लोकपाल बिल को स्टैंडिंग कमेटी के पास न भेजें। वे चार दिन में बिल पास कराना चाहते थे। 31 मई को कई पार्टी प्रमुखों और सभी मुख्यमंत्रियों पर पत्र लिखे। 6 पार्टी प्रमुखों और 25 मंत्रियों के जवाब मिले। संसद् की सर्वोच्चता पर सहमति। सांसदों को कानून बनाने का हक उन्हें जनता ने चुना है। टीम अन्ना की सभी माँगें सर्वदलीय बैठक में रखी गईं। हमने टीम अन्ना को बताया कि आपकी सभी माँगे मानना संभव नहीं। प्रणव ने कहा कि अन्ना की माँगों पर संसद् अब अपना रुख स्पष्ट करे।
- आडवाणी ने कहा, शाम तक खत्म हो अन्ना का अनशन।
- मीरा कुमार ने कहा कि लगातार 7 घंटे तक हो चर्चा।
- सुषमा स्वराज ने कहा कि नौ बार लोकपाल बिल लोकसभा में आया है, पर आज तक हम इसे पारित नहीं कर पाए। सर्वदलीय बैठक के बाद क्यों पलटे प्रधानमंत्री। पिछले दो साल में भ्रष्टाचार की सारी हदें पार, इसलिए जनता अन्ना के समर्थन में सड़क पर आई। लोगों ने सरकारी लोकपाल पर सवाल उठाए। भ्रष्टाचार की वजह से देश में जन-आंदोलन खड़ा हुआ।
- सुषमा ने राहुल गांधी को अनुमति देने का सवाल उठाया। सामान्यत: सदन में 3 मिनट बोलने की विशेष अनुमति मिलती है तो राहुल को ज्यादा क्यों। पी.एम. कुछ शर्तों के साथ लोकपाल के दायरे में हों।

न्यायपालिका को लोकपाल के दायरे में नहीं होना चाहिए। अलग राष्ट्रीय न्यायिक आयोग का गठन हो।

- किरण बेदी ने सुषमा स्वराज के बयान को सराहा।
- भाजपा और कांग्रेस दोनों अन्ना की तीनों माँगों से सहमत।
- कांग्रेस, भाजपा., बसपा., जे.डी.यू. ने दी सशर्त सहमति।
- संसद् में बहस, बाहर सुलह की तैयारी।
- अन्ना संसद् में चल रही बहस से खुश। आईपैड पर बहस देखी।
- किरण बेदी ने कहा—देश को मुबारकबाद, संसद् एक हो गई है।
- सरकार ने तैयार कराया नया ड्राफ्ट। सलमान खुर्शीद ने टीम अन्ना को फाइनल ड्राफ्ट दिखाने को बुलाया।
- सरकार और टीम अन्ना में बातचीत फिर टूटी।
- टीम अन्ना के अरविंद केजरीवाल ने कहा कि हमें कहा गया था कि संसद् में बहस के बाद वोटिंग होगी। अब कहा जा रहा है कि यह सामान्य चर्चा है। हम चर्चा ही नहीं, वोटिंग भी चाहते हैं।
- अन्ना का समर्थन करने गायक सोनू निगम रामलीला मैदान पहुँचे। अन्ना के समर्थन में गायक सोनू निगम ने गाना गाया। कहा—अन्ना से मिलकर बहुत खुश हूँ।
- अन्ना का समर्थन करने आमिर खान भी रामलीला मैदान पहुँचे। बोले— ये संघर्ष की शुरुआत है। अन्ना का लोकपाल बिल ज्यादा बेहतर। संसद् मजबूत लोकपाल बिल लेकर आए। अन्ना को गले लगाना चाहता हूँ। हम सब अन्ना के साथ हैं। आमिर खान ने कहा—अन्ना ने हमें जागरूक कर दिया।
- लोकसभा 'सैद्धांतिक रूप से' अन्ना हजारे की तीन प्रमुख माँगों— सिटीजन चार्टर, राज्यों में लोकपाल के गठन तथा निचले स्तर की नौकरशाही को लोकपाल के दायरे में लाने पर सहमत। सदन की इस भावना को संसद् की संबंधित स्थायी समिति तक पहुँचाने का लोकसभा अध्यक्ष से आग्रह।
- प्रणव ने कहा कि कोई विधान, चाहे वह कितना ही मजबूत और शक्तिशाली क्यों न हो, पूर्ण रूप से भ्रष्टाचार को समाप्त नहीं कर सकता।
- वित्त मंत्री प्रणव मुखर्जी ने कहा कि पिछले 40 वर्षों में हम लोकपाल

बिल पारित नहीं कर पाए। मैं अपनी सरकार की इस चूक को स्वीकार करता हूँ।

- रविवार सुबह 10 बजे अनशन तोड़ेंगे अन्ना हजारे।

रविवार, 28 अगस्त, 2011

5 साल की सिमरन और इकरा ने अन्ना हजारे का अनशन समाप्त करवाया। इस मौके पर दिल्ली का रामलीला मैदान खचाखच भर गया है। हजारों की संख्या में लोग इस लमहे का गवाह बनने के लिए मौजूद थे। इन बच्चियों ने नारियल पानी और शहद पिलाकर उनका अनशन तुड़वाया। अनशन तोड़ने के बाद अन्ना गुड़गाँव के एक अस्पताल में ही रहे।

उल्लेखनीय है कि 12 दिनों के लंबे अनशन के दौरान उनका वजन लगभग 7.5 किलो कम हो गया, लेकिन उन्होंने अनशन से पीछे हटने से मना कर दिया था। हालाँकि अनशन के अंतिम दिनों में उनके स्वास्थ्य को लेकर डॉक्टर चिंता व्यक्त कर रहे थे; लेकिन उन्होंने अपना अनशन तभी तोड़ा, जब संसद् ने उनकी माँगों को मान लिया।

बीते 16 अगस्त को हिरासत में लिये जाने और फिर 18 अगस्त से उनके रामलीला मैदान में पहुँचने के बाद से लोग उनका समर्थन जताने के लिए यहाँ बड़ी संख्या में पहुँचते रहे। बीती रात करीब 9.30 बजे हजारे की ओर से अनशन तोड़ने का ऐलान किए जाने के बाद से ही रामलीला मैदान में जश्न का सिलसिला शुरू हो गया। लोग हाथों में तिरंगा लिये हुए नारेबाजी करते देखे गए। दिल्ली पुलिस और सी.आर.पी.एफ. ने वहाँ सुरक्षा के पुख्ता इंतजाम किए।

अन्ना हजारे का अनशन समाप्त होने पर पूरे देश में जश्न मनाया गया। कोई इसे लोकतंत्र की जीत बता रहा है तो किसी का दावा है कि लोक-चेतना का संचार हुआ है। भ्रष्टाचार रोकने के लिए जन लोकपाल बनाने को लेकर महाराष्ट्र के समाज-सेवी अन्ना हजारे ने 12 दिन तक जमकर अनशन किया। अंतत: कुछ आश्वासनों पर हजारे साहब ने बड़े राजनीतिक चातुर्य के साथ आधी जीत बताकर उसे समाप्त कर दिया।

संविधान और राजनीतिक विश्लेषकों की बात मानें तो आधी जीत तो दूर, अभी उनका अभियान अपनी जगह से एक इंच हिला भी नहीं है। इतना ही नहीं, अब कथित रूप से गैर-राजनीतिक होने का दावा करनेवाली उनकी कथित 'अन्ना टीम' अंतत: परंपरागत राजनीतिक दलों के शिखर पुरुषों के दरबार में मदद माँगने

भी जा पहुँची। जब देश में कानून बनाने में संसद् सर्वोपरि है तो यह नहीं भूलना चाहिए कि वह दलीय राजनीतिक दलों के आधार पर ही गठित होती है। ऐसे में उनके साथ संवाद करना उस आदमी के लिए भी जरूरी होता है, जो स्वयं गैर-राजनीतिक है, पर किसी जन-समस्या का हल चाहता है। दूसरी बात यह है कि अगर कोई समूह अपने मनपसंद का कानून बनाना चाहता है तो उसके पास चुनाव लड़ना ही एक जरिया है। किसी गैर-राजनीतिक आंदोलन के माध्यम से कानून बनाना एक आत्ममुग्ध प्रक्रिया हो सकती है, जिससे परिणाम प्रकट नहीं होता, चाहे नारे कितने भी लग जाएँ।

बातचीत के दौर

सुलह के लिए मंगलवार (23 अगस्त, 2011) को सरकार और टीम अन्ना में पहली बार बातचीत हुई। दोपहर में सरकार ने सर्वदलीय बैठक भी बुलाई है। ऐसे में शाम तक कुछ फैसले की उम्मीद जगी। मंगलवार को पहले दौर की बातचीत को दोनों पक्षों ने सकारात्मक बताया। टीम अन्ना के मुताबिक, इन तीन मुद्दों पर पेंच फँसा—

1. लोकपाल बिल में सभी अफसरों, कर्मचारियों को शामिल किया जाए।
2. केंद्र में लोकपाल की तर्ज पर राज्यों में लोकायुक्त विधेयक लाया जाए।
3. हर दफ्तर में सिटीजन चार्टर बने। हर काम को निपटाने की समय सीमा निर्धारित हो।

जबकि इन मुद्दों पर सरकार टीम अन्ना की बात मानने के लिए तैयार थी—

1. लोकपाल को चुनने की प्रक्रिया जन लोकपाल बिल के अनुरूप होगी।
2. लोकपाल को हटाने के लिए दरख्वास्त करने का अधिकार जनता को होगा।
3. प्रधानमंत्री के भ्रष्टाचार की जाँच कर सकेगा लोकपाल।
4. सी.बी.आई. की भ्रष्टाचार निरोधक इकाई का लोकपाल में विलय होगा।
5. संसद् में सांसदों के आचरण की जाँच विशेषाधिकारों के बाद भी की जा सकेगी।
6. उच्च न्यायपालिका के भ्रष्टाचार से न्यायपालिका जवाबदेही विधेयक निपटेगा। इसे भी मौजूदा संसद् सत्र में पेश किया जाएगा।
7. लोकपाल को जाँच, एफ.आई.आर. दर्ज करने और मुकदमा चलाने का अधिकार होगा।

पहले दौर की बातचीत

मंगलवार (23 अगस्त, 2011) रात करीब 10.30 बजे प्रणव मुखर्जी के साथ ढाई घंटे की बैठक के बाद बाहर निकले अरविंद केजरीवाल ने मीडिया को बताया कि सरकार ने वक्त माँगा है। उन्हें सवेरे 10 बजे तक का वक्त चाहिए। केजरीवाल ने कहा कि सभी मुद्दों पर बातचीत हुई। तीन मुद्दों पर सरकार ने कहा कि उसे सोचना पड़ेगा, जबकि न्यायपालिका की जवाबदेही तय करने के लिए बिल को लोकपाल के साथ ही पारित कराने पर सरकार राजी है। उन्होंने कहा कि बातचीत का माहौल और इस दौरान सरकार का रुख सकारात्मक था।

केजरीवाल ने बताया कि बातचीत अच्छी रही, लेकिन कोई वादा नहीं मिला। उन्होंने कहा कि संभवत: प्रधानमंत्री से बातचीत के बाद प्रणव मुखर्जी हमसे बातचीत आगे बढ़ाएँ। अभी एक-दो दौर की बातचीत और हो सकती है। उन्होंने बताया कि सरकार की ओर से मुखर्जी ने अन्ना से अनशन तोड़ने की अपील की। हम उनकी अपील अन्ना तक पहुँचा देंगे।

केजरीवाल के साथ गए प्रशांत भूषण ने कहा कि बातचीत अच्छी रही, पर ठोस नतीजे का इंतजार। उन्होंने कहा कि ठोस नतीजा आने तक जारी रहेगा अन्ना का अनशन। सलमान खुर्शीद ने भी बताया कि बातचीत सकारात्मक रही और कल फिर बातचीत होगी।

कैसे शुरू हुई बातचीत

मंगलवार (23 अगस्त, 2011) को पूरे दिन सरकार में जबरदस्त हलचल रही। दिन भर बैठकों का दौर जारी रहा। प्रधानमंत्री ने अपने वरिष्ठ सहयोगियों प्रणव मुखर्जी और ए.के. एंटनी से भी अन्ना के आंदोलन को शांत करने के तौर-तरीकों पर चर्चा की। दिन भर की हलचल के बाद शाम को सरकार ने बातचीत के लिए प्रणव मुखर्जी को आगे किया। देर शाम उनकी टीम अन्ना से बातचीत शुरू हुई।

बातचीत की पहल काफी पहले से हो रही थी। मंगलवार दोपहर टीम अन्ना ने पहली बार माना था कि परदे के पीछे सरकार से बात चल रही है। अन्ना हजारे के आंदोलन में सहयोगी स्वामी अग्निवेश ने कहा कि सरकार से अनौपचारिक बातचीत चल रही है और वह चाहती है कि मामले का हल निकले। तमाम मंत्री हमारे संपर्क में हैं। पर आंदोलन अनिश्चित काल तक जारी रहेगा। इसके कुछ

ही देर बाद स्पष्ट हुआ कि सरकार ने अपनी ओर से केंद्रीय वित्त मंत्री प्रणव मुखर्जी को वार्त्ताकार नियुक्त करते हुए टीम अन्ना को वार्त्ताकार नियुक्त करने के लिए कहा है। इससे पहले अरविंद केजरीवाल और सलमान खुर्शीद के बीच करीब आधे घंटे बातचीत हुई। इस बातचीत की मध्यस्थता कांग्रेस सांसद संदीप दीक्षित ने की। इस बैठक के बाद खुर्शीद ने बयान दिया कि बातचीत अन्ना का आंदोलन समझने के लिए थी।

इससे पहले अलग-अलग कई बैठकें हुईं। प्रधानमंत्री और राहुल गांधी ने दो बार बैठक की। कपिल सिब्बल ने भय्यूजी महाराज से अलग से बातचीत की। अन्ना के अनशन के आठवें दिन मंगलवार को सरकार में पूरी हलचल रही और किसी तरह गतिरोध तोड़ने की कोशिश लगातार चलती रही।

दिल्ली की हर हलचल की जानकारी अमेरिका में सोनिया गांधी को भी दी गई।

दूसरे दौर की बातचीत बेनतीजा

लोकपाल बिल को लेकर कुछ मुद्दों पर सहमति के बाद बातचीत को आगे बढ़ाने के लिए बुधवार को सरकार और अन्ना हजारे की टीम के बीच दूसरे दौर की बातचीत हुई। हालाँकि इस मीटिंग में असहमति के तीनों बिंदुओं पर गतिरोध बरकरार रहा। कानून मंत्री सलमान खुर्शीद के साथ दो घंटे तक चली बैठक में टीम अन्ना ने नया ड्राफ्ट सौंपा, जिसे लेकर वे प्रणव मुखर्जी को दिखाने के लिए उनके दफ्तर गए।

मीटिंग के बाद खुर्शीद के घर से निकलते वक्त अन्ना हजारे की टीम के सदस्य अरविंद केजरीवाल ने कहा कि एक और दौर की बातचीत होने की संभावना है। उन्होंने उम्मीद जताई कि दोपहर सर्वदलीय बैठक के बाद एक बार फिर सरकार और अन्ना की टीम की बातचीत हो सकती है। खुर्शीद ने भी कहा कि बातचीत अच्छी रही, लेकिन अभी कोई नतीजा नहीं निकला है।

गौरतलब है कि सरकार और टीम अन्ना में प्रधानमंत्री को लोकपाल के दायरे में लाने, न्यायपालिका के भ्रष्टाचार को लोकपाल के दायरे से बाहर रखने और दूसरे कानून में उसे शामिल करने तथा भ्रष्टाचार के सारे मामलों की जाँच सी.बी.आई. के बजाय लोकपाल के दायरे में लाने पर सहमति बन गई। तीन प्रमुख मुद्दों पर सहमति नहीं बन पाई। इनमें नागरिकों के लिए चार्टर, निचले स्तर की नौकरशाही और लोकपाल के जरिए ही राज्यों में लोकायुक्तों की नियुक्ति

के मुद्दे शामिल थे।

हालाँकि सरकार इस बात पर जोर दे रही थी कि अन्ना हजारे का अनशन खत्म कराना फिलहाल विधेयक पारित करने से ज्यादा जरूरी है।

सरकार का यू-टर्न

जन लोकपाल बिल के लिए चल रही लड़ाई और लंबी खिंचने के आसार। सरकार ने अपना रुख कड़ा कर लिया तो टीम अन्ना ने भी कड़े तेवर अपनाने के संकेत दिए। गुरुवार (25 अगस्त, 2011) को अन्ना हजारे के अनशन का दसवाँ दिन था, पर सरकार झुकने के मूड में नहीं थी। उस दोपहर बातचीत का चौथा दौर होना था, लेकिन टीम अन्ना कह रही थी कि वह कांग्रेस की राजनीति का शिकार हो रही है।

टीम अन्ना के सहयोगी अरविंद केजरीवाल ने गुरुवार को कहा कि बातचीत से जनतंत्र चलता है। हम उसके लिए तैयार हैं। लेकिन बातचीत के दायरे और स्वरूप पर चर्चा करने की जरूरत है। अरविंद ने कहा कि सरकार अब नए सिरे से कानून तैयार करना चाहती है। उन्होंने नए बिल के औचित्य पर सवाल उठाते हुए कहा कि सरकार के इस कदम से क्या फायदा होगा।

अरविंद के मुताबिक, सरकार में कौन सा शख्स है, जो कहे कि हमसे जो बात होगी वह अंतिम है। भाजपा अपना रुख साफ करे। यह बिल संसद् के सामने है तो भाजपा अब अपना रुख साफ करे। उन्होंने कहा कि लेफ्ट पार्टियों ने कई बातों पर सहमति जताई है।

टीम अन्ना का कहना था कि सरकार बात से पीछे हट रही है। उनका मानना है कि सरकार के पास बिल का ड्राफ्ट है। ऐसे में बातचीत का कोई मतलब नहीं है। अगर सरकार का कोई सुझाव हो तो वह हमें बता सकती है।

बुधवार देर रात प्रणव मुखर्जी और टीम अन्ना के बीच तीसरे दौर की बातचीत के बाद भी लड़ाई शांत होने के बजाय तेज होती हीं दिखी। टीम अन्ना ने कहा कि सरकार ने साफ कर दिया कि जन लोकपाल बिल संसद् में पेश नहीं किया जा सकता। यही नहीं, किरण बेदी ने तो यहाँ तक कहा कि अन्ना के अनशन को लेकर प्रणव मुखर्जी ने कहा कि यह आपकी समस्या है।

टीम अन्ना के इस बयान के बाद बुधवार देर रात वित्त मंत्री प्रणव मुखर्जी ने भी सफाई पेश की। उन्होंने कहा कि उनकी बातचीत को तोड़-मरोड़कर पेश किया गया। उन्होंने कहा कि इस वजह से जनता के सामने हमारी बात सही तरीके

से पेश नहीं हो पाई। इसलिए मुझे प्रेस वार्त्ता करनी पड़ी। उन्होंने कहा कि मैंने ऐसा कभी नहीं कहा कि अनशन आपकी समस्या है, बल्कि मैंने कहा था कि अन्ना का अनशन राष्ट्रीय मुद्‌दा है।

केंद्रीय मंत्री सलमान खुर्शीद ने भी कहा कि सरकार का रुख नहीं बदला है और हम गुरुवार को भी बातचीत जारी रखेंगे। उन्होंने कहा कि अन्ना अनशन की जिद छोड़ें। सरकार के तेवर सर्वदलीय बैठक में सभी राजनीतिक दलों का रुख भाँपने के बाद बदले। लगभग सभी दलों ने यह राय दी कि संसद् सर्वोच्च है और टीम अन्ना के आगे झुककर इस मान्यता को कमजोर नहीं होने देना चाहिए। इसके बाद प्रधानमंत्री मनमोहन सिंह ने दो-टूक कहा कि हम टीम अन्ना की सभी माँगें नहीं मान सकते।

बुधवार की रात प्रणव के साथ बैठक के बाद टीम अन्ना की सदस्य किरण बेदी ने कहा कि कल वे हमारी बात सुन रहे थे, पर आज वे हमें सुना रहे थे। अरविंद केजरीवाल ने कहा कि वे हमें डाँट रहे थे।

बैठक से निकलने के बाद किरण बेदी ने आशंका जताई कि पुलिस अन्ना को जबरन उठाकर ले जा सकती है। इस आशंका को देखते हुए अन्ना हजारे ने रात सवा 11.15 बजे अपने समर्थकों को संबोधित करते हुए कहा कि अगर मुझे जबरन उठाया गया तो लोग शांतिपूर्वक सांसदों का घेराव करें और देश भर में गिरफ्तारियाँ दें। तब देर रात पुलिस ने किरण बेदी को एस.एम.एस. करके बताया कि जब तक डॉक्टर नहीं कह देंगे कि अन्ना की हालत नाजुक है, तब तक वे अन्ना की मरजी के बिना उन्हें अस्पताल नहीं ले जाएँगे। इसके बाद का घटनाक्रम सबको मालूम ही है।

परिणाम का इंतजार

अन्ना हजारे दिल्ली में अनशन पर बैठे तो जैसे पूरा देश हिल गया! और अनशन समाप्त हुआ तो जैसे देश रातोरात बदल गया! इंडिया गेट पर विजय जुलूस निकाला गया और मोमबत्तियाँ बुझाकर सारे आंदोलनकारी अपने-अपने घर लौट गए। अब जन लोकपाल का विधेयक आएगा और जैसे देश से भ्रष्टाचार का नामोनिशान मिट जाएगा!

इस अनशन के निहितार्थ क्या हैं और इससे क्या हासिल हुआ है, इस पर गौर किया जाए। देश में भ्रष्टाचार है, यह एक खुला रहस्य है; लेकिन क्या इसे एक और नया कानून बनाकर दूर किया जा सकता है ? पहले हमारे यहाँ राजनीतिक

व प्रशासनिक भ्रष्टाचार की जाँच करने के लिए सी.बी.आई. एकमात्र संस्था है। तमाम आरोपों के बावजूद आज भी कोई पेचीदा प्रकरण आने पर सी.बी.आई. को केस सौंपने की माँग उठाई जाती है। इस सी.बी.आई. पर विश्वास का संकट जब उत्पन्न हुआ तो सी.वी.सी. की संस्था खड़ी कर दी गई। उसका यह हश्र हुआ कि सी.वी.सी. थॉमस को पद छोड़ने पर मजबूर होना पड़ा। वैसे उनके पहले वालों ने भी कौन से तीर मार लिये थे! एन.एन. वोहरा कमेटी की रिपोर्ट का क्या हुआ, किसको याद है? चुनाव में प्रत्याशियों के संपत्ति के ब्यौरे उजागर होने लगे, इससे क्या फर्क पड़ा? अब यदि जन लोकपाल बिल बनकर लागू भी हो गया तो उससे हम किस चमत्कार की आशा करते हैं?

हम आज भी अपनी अदालतों पर काफी विश्वास रखते हैं, लेकिन कितने सारे न्यायाधीश भ्रष्टाचार के आरोपों से घिरे हुए हैं! राज्यों में सर्वत्र लोकायुक्त की संस्था पिछले कई साल से विद्यमान है, लेकिन न्यायमूर्ति संतोष हेगड़े जैसा लोकायुक्त अपवाद-स्वरूप ही सामने आता है। क्या यह कहना गलत होगा कि लोकायुक्त और राज्य सरकार के बीच इतनी गहरी साँठ-गाँठ है कि यह संस्था अधिकतर प्रदेशों में अपनी साख गँवा चुकी है! इन सच्चाइयों से सारा देश वाकिफ है। अन्ना हजारे को तो दूसरों से कुछ ज्यादा ही पता है। अपनी उज्ज्वल छवि का उपयोग वे महाराष्ट्र में भ्रष्टाचार के खिलाफ मुहिम चलाने में पहले भी कर चुके हैं, लेकिन प्रदेश स्तर पर किए गए उनके आंदोलनों का अंतिम नतीजा क्या निकला? उन्हें अपनी मुहिम में आंशिक सफलता तो मिली, लेकिन महाराष्ट्र में भ्रष्टाचार पनपने की परिस्थितियाँ पहले की तरह कायम रहीं। ऐसे में उन्होंने अनशन पर बैठने का निर्णय क्यों लिया, इसमें उनके साथ कौन लोग जुड़े, आंदोलन को ताकत कैसे मिली और सरकार कथित रूप से क्यों झुक गई—इन सारे सवालों के जवाब आने अभी बाकी हैं।

इस पूरे परिदृश्य में बाबा रामदेव अनशन टूटने तक रहस्यमय ढंग से अनुपस्थित रहे, जबकि कुछ दिन पहले दिल्ली के रामलीला मैदान से उन्होंने भ्रष्टाचार के खिलाफ शंखनाद किया था, जिसमें अन्ना हजारे नेतृत्व की दूसरी पंक्ति में नजर आ रहे थे। फिर ऐसा क्या हुआ कि अन्ना सामने आ गए और बाबा पीछे ढकेल दिए गए? क्या इसलिए कि बाबा की राजनीतिक महत्त्वाकांक्षा अन्य प्रमुख जन जैसे—स्वामी अग्निवेश, मेधा पाटेकर, किरण बेदी व प्रशांत भूषण इत्यादि को पसंद नहीं आई? क्या ऐसा माना जाए कि अन्ना हजारे को भ्रष्टाचार के खिलाफ लड़ाई में एक सेक्युलर मंच के नेता के रूप में स्थापित किया जा रहा है?

लेकिन ऐसा लगता है कि बाजी कांग्रेस के हाथ में चली गई है। कांग्रेस पार्टी में इतना लचीलापन इसके पहले कभी नहीं देखा गया। कांग्रेस के नेता हर समय सत्ता के अहंकार में तने जो रहते हैं। फिर इस बार क्या हुआ? सोनिया गांधी ने एक अपील की और देखते-ही-देखते बात बन गई।

स्वामी नामधारी अभियान से अलग

लग रहा है कि अन्ना हजारे और अन्ना टीम दो अलग-अलग केंद्र बन गए हैं। अन्ना टीम के सदस्य पेशेवर अभियानकर्ता हैं, जबकि अन्ना स्वयं एक फकीर। अलबत्ता राजनीतिक चातुर्य उनमें कूट-कूटकर भरा है। यही कारण है कि उन्होंने पेशेवर अभियानकर्ताओं की दाल नहीं गलने दी। इससे हुआ यह कि एक स्वामी नामधारी एक पेशेवर अभियानकर्ता उनसे नाराज हो गए। उनकी सी.डी. जारी हो गई, जिसमें वे अपने किसी मित्र के साथ सहयोगियों की निंदा कर रहे थे। सच तो यह है कि उनके शामिल होने की वजह से इस आंदोलन को अनेक बुद्धिजीवी शक की नजर से देख रहे थे। कहने को वे जोगिया वस्त्र पहनते हैं, भारतीय आध्यात्मिक दर्शन की निंदा उनके श्रीमुख से कई बार सुनी गई है। अब लग रहा है कि आनेवाले समय में अन्ना टीम को अनेक तरह के सवालों का सामना करना पड़ेगा।

अन्ना हजारे ने कहा था कि यह आधी जीत है। लोग फूल रहे हैं। जश्न मनाए जा रहे हैं। दूसरी बात यह भी लग रही है कि परंपरागत समाज-सेवी और राजनीतिक संगठन अब चेत गए हैं। वैसे हम यहाँ स्पष्ट कर दें कि इस अनशन की समाप्ति से कोई हारा नहीं है कि किसी को विजेता बताया जाए।

अन्ना के अनशन से देश भर में उपजा तनाव खत्म हो गया। अब मामला चुनाव सुधार की तरफ मुड़ गया है। वे कहते हैं कि वे महात्मा गांधी के अनुयायी हैं और यह नहीं भूलना चाहिए कि उनकी छवि राजनीतिक संत की रही है। अन्ना की वाक्पटुता गजब की है। उनका एक-एक वाक्य जनमानस में प्रभाव डालता है।

अनशन के बाद

महाराष्ट्र के समाज-सेवी अन्ना हजारे आज पूरे देश के जनमानस में 'महानायक' बन गए हैं। वजह साफ है कि देश में जन-समस्याएँ विकराल रूप ले चुकी हैं और इससे उपजा असंतोष उनके आंदोलन के लिए ऊर्जा का काम

कर रहा है। पहले अप्रैल (2011) में उन्होंने अनशन किया और फिर इसी वर्ष अगस्त माह में उन्होंने अपने अनशन की घटना को दोहराया। जब अप्रैल में उन्होंने अनशन समाप्त किया, तब उनका मजाक उड़ाया गया था कि वे तो केवल प्रायोजित आंदोलन चला रहे हैं। अबकी बार उन्होंने 12 दिन तक अनशन किया। इस अनशन से भारत ही नहीं बल्कि विश्व जनमानस पर पड़े प्रभावों का अध्ययन अभी किया जाना है, क्योंकि इसका प्रचार विदेशों तक हुआ है। फिर जिन लक्ष्यों को लेकर यह अनशन किया गया, उनके पूरे होने की स्थिति अभी दूर दिखाई देती है, मगर देश के चिंतकों के लिए इस समय उनकी उपेक्षा करना ही ठीक है। अनशन समाप्ति पर महानायक ने कहा, ''यह जीत अभी अधूरी है और अभी मैंने अनशन स्थगित किया है, समाप्त नहीं।'' इस बयान से एक बात तो समझ में आती है कि अन्ना में राजनीतिक चातुर्य कूट-कूटकर भरा है।

प्रधानमंत्री मनमोहन सिंह की चिट्ठी मिलने के बाद अन्ना ने अनशन तोड़ा। अपने पत्र में प्रधानमंत्री मनमोहन सिंह ने यह अच्छी बात कही कि 'संसद् ने अपनी इच्छा व्यक्त कर दी, जो कि देश के लोगों की भी है।'

इस विषय पर संसद् में शनिवार (22 अगस्त, 2011) को अवकाश के दिन विशेष सत्र में सांसदों ने जिस तरह सोच-समझ के साथ दलगत राजनीति से ऊपर उठकर अपने विचार रखे, वे इसका प्रमाण थे। संभव है, विशेषाधिकार के कारण कुछ सांसदों के मन में अहंकार का भाव रहता हो, पर शनिवार (20 अगस्त, 2011) को सभी के चेहरे और वाणी से यही भाव दिखाई दिया कि किसी भी तरह अन्ना का अनशन टूट जाए, जो कि इस देश के जनमानस का ही भाव है। सच बात तो यह है कि इस बहस में आंदोलन से जुड़े संबंधित सभी तत्त्वों का सार दिखाई दिया। यही कारण है कि प्रचार माध्यमों के सहारे इस आंदोलन की सफलता की बात कही गई।

अनेक सांसदों ने इस आंदोलन के उन देशी-विदेशी पूँजीपतियों से प्रायोजित होने की बात भी कही, जो भारत की संसदीय प्रणाली पर नियंत्रण करना चाहते हैं। इसके बावजूद सभी ने अन्ना हजारे के प्रति न केवल सहानुभूति दिखाई बल्कि उनके चरित्र की महानता को स्वीकार भी किया।

देश के सांसदों में अनेक ऐसे हैं, जिन्होंने इस बात को अनुभव किया कि अन्ना की देश में एक महानायक की छवि है और उन पर आक्षेप करने का मतलब होगा देश की आंदोलित युवा पीढ़ी के दिमाग में अपने लिए खराब विचार भरना। इसलिए शब्दों के चयन में सभी ने गंभीरता दिखाई। बहरहाल कुछ सांसदों

ने प्रचार माध्यमों पर आंदोलन को अनावश्यक प्रचार का आरोप लगाया, पर उन्हें यह भी याद रखना होगा कि इसी विषय पर हुए विशेष सत्र के बहाने उन्होंने पूरे देश को संबोधित करने का अवसर पाया, जिसे इन्हीं प्रचार माध्यमों ने अपने समाचारों में स्थान दिया।

अन्ना ने एक ऐसे भारत की कल्पना लोगों के सामने प्रस्तुत की जो अभी स्वप्न ही लगता है, पर सबसे बड़ी बात वह अभी अपने प्रयास जारी रखने की बात भी कह रहे हैं। मुश्किल यह है कि वे अनशन शुरू कर देते हैं तब आदमी का हृदय काँपने लगता है। उन्होंने जिस तरह आज की युवा पीढ़ी को वैचारिक रूप से सशक्त बनाया, उसकी प्रशंसा की जानी चाहिए, जो कि अंततः हमारी लोकतांत्रिक व्यवस्था के वाहक हैं।

अन्ना के बारह दिनों तक चले अनशन में तमाम उतार-चढ़ाव आए और अगर उनका उन्हें भूल जाना ही सफलता माना जाए तो कोई बुरी बात नहीं है। साथ ही लक्ष्य से संबंधित परिणामों पर दृष्टिपात न करना भी ठीक है।

अगर हम तकनीकी दृष्टि से बात करें तो अन्ना के प्रस्तावित जन लोकपाल ने अभी एक इंच कदम ही बढ़ाया है, पर अन्ना के गिरते स्वास्थ्य के दृष्टिकोण से यह भारी सफलता है। इस आंदोलन को लेकर अनेक विवाद हैं, पर यह तो इसके विरोधी भी स्वीकारते हैं कि इसके प्रभावों को अनदेखा करना ठीक नहीं है।

अन्ना आंदोलन उद्देश्य में सफल

प्रधानमंत्री मनमोहन सिंह ने प्रभावी लोकपाल पर शीघ्र ही एक विधेयक लाने का भरोसा देते हुए कहा कि गांधीवादी अन्ना हजारे का आंदोलन अपना उद्देश्य पाने में सफल रहा। साथ ही उन्होंने सामाजिक संगठन के सदस्यों पर हाल में हुए हमलों की भी निंदा की। प्रधानमंत्री ने कहा, ''मैं किसी व्यक्ति की आलोचना करना पसंद नहीं करूँगा, लेकिन मेरा मानना है कि अन्ना हजारे के आंदोलन ने अपना उद्देश्य पूरा कर लिया है।''

प्रधानमंत्री से यह पूछे जाने पर कि अन्ना हजारे और उनकी टीम भारत में भ्रष्टाचार के लिए कांग्रेस पार्टी को जिम्मेदार बता रही है और वरिष्ठ वकील प्रशांत भूषण व सामाजिक कार्यकर्ता अरविंद केजरीवाल पर हुए हमले के बारे में उनका क्या कहना है।

उन्होंने कहा, ''हम एक प्रभावी लोकपाल विधेयक लाने की दिशा में काम कर रहे हैं। हमें उम्मीद है कि संसद् एक प्रभावी विधेयक लाएगी। यह लोगों

के लिए एक आश्वासन होगा कि देश में भ्रष्टाचार को पनपने नहीं दिया जाएगा।''

भूषण और केजरीवाल पर हुए हमलों के बारे में प्रधानमंत्री ने कहा कि लोकतंत्र में हिंसा के लिए कोई जगह नहीं होती है और इस तरह के कार्यों की निंदा करने की जरूरत है।

प्रधानमंत्री ने कहा, ''मेरा पूरी तरह से मानना है कि हिंसा के सहारे कुछ भी हासिल नहीं किया जा सकता। नाराजगी और निराशा जाहिर करने के और भी सभ्य तरीके हैं।''

□

6

अन्ना आंदोलन के दूरगामी प्रभाव

जो लोग यह मानते रहे हैं और लोगों को बताते रहे हैं कि पूँजीवादी और साम्राज्यवादी लूट पर टिकी यह व्यवस्था सड़-गल चुकी है और इसे नष्ट किए बिना आम आदमी की बेहतरी संभव नहीं है, उनके बरक्स अन्ना हजारे ने एक हद तक सफलतापूर्वक यह दिखाने की कोशिश की कि यह व्यवस्था ही आम आदमी को बदहाली से बचा सकती है, बशर्ते इसमें कुछ सुधार कर दिया जाए। व्यवस्था के जन-विरोधी चरित्र से जिन लोगों का मोह भंग हो रहा था उस पर अन्ना ने एक ब्रेक लगाया है। अन्ना ने सत्ताधारी वर्ग के लिए ऑक्सीजन का काम किया है और उस ऑक्सीजन सिलेंडर को ढोने के लिए उन्हीं लोगों के कंधों का इस्तेमाल किया है, जो सत्ताधारी वर्ग के शोषण के शिकार हैं। उन्हें नहीं पता है कि वे उसी निजाम को बचाने की कवायद में तन-मन-धन से जुट गए, जिसने उनकी जिंदगी को बदहाल किया। देश के विभिन्न हिस्सों में चल रहे जुझारू संघर्षों के ताप से झुलस रहे सत्ताधारियों को अन्ना ने बहुत बड़ी राहत पहुँचाई है। शासन की बागडोर किसके हाथ में हो, इस मुद्दे पर सत्ताधारी वर्ग के विभिन्न गुटों के बीच चलती खींचतान से आम जनता का भ्रमित होना स्वाभाविक है। पर जहाँ तक इस वर्ग के उद्धारक की साख बनाए रखने की बात है, विभिन्न गुटों के बीच अद्‌भुत एकता है। यह एकता 27 अगस्त को छुट्टी के दिन लोकसभा की विशेष बैठक में देखने को मिली, जब कांग्रेस के प्रणव मुखर्जी और भाजपा की सुषमा स्वराज दोनों के सुर एक हो गए और उससे जो संगीत उपजा उसने रामलीला मैदान में एक नई लहर पैदा कर दी। सदन में शरद यादव के भाषण से सबक लेते हुए अगले दिन अपना अनशन समाप्त करते समय अन्ना ने बाबा साहेब आंबेडकर को तो याद ही किया, अनशन तोड़ते समय जूस पिलाने के लिए दलित वर्ग और

मुसलिम समुदाय से दो बच्चों को चुना।

अन्ना हजारे का 13 दिनों का यह आंदोलन भारत के इतिहास की एक अभूतपूर्व और युगांतरकारी घटना के रूप में रेखांकित किया जाएगा। इसलिए नहीं कि उसमें लाखों लोगों की भागीदारी रही या टी.वी. चैनलों ने लगातार रात-दिन इसका प्रसारण किया। किसी भी आंदोलन की ताकत या समाज पर पड़नेवाले उसके दूरगामी परिणामों का आकलन मात्र इस बात से नहीं किया जा सकता कि उसमें लाखों लोगों ने शिरकत की। अगर ऐसा होता तो जयप्रकाश नारायण के आंदोलन से लेकर रामजन्मभूमि आंदोलन, विश्वनाथ प्रताप सिंह का बोफोर्स को केंद्र में रखते हुए भ्रष्टाचार-विरोधी आंदोलन, मंडल आयोग की रिपोर्ट पर आरक्षण-विरोधी आंदोलन जैसे पिछले 30-35 वर्षों के दौरान हुए ऐसे आंदोलनों में लाखों की संख्या में लोगों की हिस्सेदारी रही। किसी भी आंदोलन का समाज को आगे ले जाने या पीछे ढकेलने में सफल-असफल होना इस बात पर निर्भर करता है कि उस आंदोलन को नेतृत्व देनेवाले कौन लोग हैं और उनका 'विजन' क्या है? अब तक भ्रष्टाचार-विरोधी आंदोलन को सत्ता तक पहुँचने की सीढ़ी बनाकर जन-भावनाओं का दोहन किया जाता रहा है। अन्ना के व्यक्तित्व की यह खूबी है कि इस खतरे से लोग निश्चिंत हैं। उन्हें पता है कि रालेगण सिद्धि गाँव के इस फकीरनुमा आदमी को सत्ता नहीं चाहिए।

अन्ना का आंदोलन अतीत के इन आंदोलनों से गुणात्मक तौर पर भिन्न है, क्योंकि आनेवाले दिनों में भारतीय समाज में बदलाव के लिए संघर्षरत शक्तियों के बीच यह ध्रुवीकरण का काम करेगा। किसी भी हालत में इस आंदोलन के मुकाबले देश की वामपंथी क्रांतिकारी शक्तियाँ न तो लोगों को जुटा सकती हैं और न इतने लंबे समय तक टिका सकती हैं, जितने लंबे समय तक अन्ना हजारे रामलीला मैदान में टिके रहे। इसकी सीधी वजह यह है कि यह व्यवस्था आंदोलन के मूल चरित्र के अनुसार तय करती है कि उसे उस आंदोलन के प्रति किस तरह का सुलूक करना है। मीडिया भी इसी आधार पर निर्णय लेता है। आप कल्पना करें कि क्या अगर किसी चैनल का मालिक न चाहे तो उसके पत्रकार या कैमरामैन लगातार अन्ना का कवरेज कर सकते थे? क्या कॉरपोरेट घराने अपनी जड़ खोदनेवाले किसी आंदोलन को इस तरह मदद करते या समर्थन का संदेश देते जैसा अन्ना के साथ हुआ? भारत सरकार के गृह मंत्रालय की रिपोर्ट के अनुसार, पिछले तीन वर्षों में यहाँ के एन.जी.ओ. सेक्टर को 40 हजार करोड़ रुपए मिले हैं—उसी एन.जी.ओ. सेक्टर को जिससे टीम अन्ना के प्रमुख सदस्य अरविंद केजरीवाल, मनीष सिसौदिया,

किरण बेदी, संदीप पांडे, स्वामी अग्निवेश जैसे लोग घनिष्ठ-अघनिष्ठ रूप से जुड़े-बिछुड़े रहे हैं। इस सारी जमात को उस व्यवस्था से ही यह लाभ मिल रहा है जिसमें सड़ाँध फैलती जा रही है, जो मृत्यु का इंतजार कर रही है और जिसे दफनाने के लिए देश के विभिन्न हिस्सों में उत्पीड़ित जनता संघर्षरत है। आज इस व्यवस्था का एक उद्धारक दिखाई दे रहा है। वह भले ही 74 साल का क्यों न हो, नायक-विहीन दौर में उसे जिंदा रखना जरूरी है।

क्या इस तथ्य को बार-बार रेखांकित करने की जरूरत है कि भ्रष्टाचार का मूल स्रोत सरकार की नव-उदारवादी आर्थिक नीतियाँ हैं ? इन नीतियों ने ही पिछले 20-22 वर्षों में इस देश में एक तरफ तो कुछ लोगों को अरबपति बनाया और दूसरी तरफ बड़ी संख्या में मेहनतकश लोगों को लगातार हाशिए पर ठेल दिया। इन नीतियों ने कॉरपोरेट घरानों के लिए अपार संभावनाओं का द्वार खोल दिया और जल, जंगल, जमीन पर गुजर-बसर करनेवालों को अभूतपूर्व पैमाने पर विस्थापित किया और प्रतिरोध करने पर उनका सफाया कर दिया। इन नीतियों की ही बदौलत आज मीडिया को इतनी ताकत मिल गई कि वह सत्ता समीकरण का एक मुख्य घटक हो गया। जिन लोगों को इन नीतियों से लगातार लाभ मिल रहा है, वे भला क्यों चाहेंगे कि ये नीतियाँ समाप्त हों। इन नीतियों के खिलाफ देश के विभिन्न हिस्सों में जो उथल-पुथल चल रही है; उससे सत्ताधारी वर्ग के होश उड़े हुए हैं। ऐसे में अगर कोई ऐसा व्यक्ति सामने आता है, जिसका जीवन निष्कलंक हो, जिसके अंदर सत्ता का लोभ न दिखाई देता हो और जो ऐसे संघर्ष को नेतृत्व दे रहा हो जिसका मकसद समस्या की जड़ पर प्रहार करना न हो तो उसे यह व्यवस्था हाथोंहाथ लेगी, क्योंकि उसके लिए इससे बड़ा उद्धारक कोई नहीं हो सकता। अन्ना की गिरफ्तारी, रिहाई, अनशन स्थल को लेकर विवाद आदि राजनीतिक फायदे-नुकसान के आकलन में लगे सत्ताधारी वर्ग के आपसी अंतर्विरोधों की वजह से सामने आते रहे हैं। इनकी वजह से मूल मुद्दे पर कोई फर्क नहीं पड़ता।

अन्ना के आंदोलन ने स्वतंत्रता संघर्ष के दौरान गांधीजी द्वारा चलाए गए सत्याग्रहों और आंदोलनों की उन लोगों को याद दिला दी, जिन्होंने तसवीरों या फिल्मों के माध्यम से उस आंदोलन को देखा था। गांधीजी के समय भी एक दूसरी धारा थी, जो गांधी के दर्शन का विरोध करती थी और जिसका नेतृत्व भगत सिंह करते थे। जहाँ तक विचारों का सवाल है, भगत सिंह के विचार गांधी से काफी आगे थे। भगत सिंह ने सन् 1928-30 में ही कह दिया था कि गांधीजी के तरीके से हम जो आजादी हासिल करेंगे, उसमें गोरे अंग्रेजों की जगह काले अंग्रेज सत्ता

पर काबिज हो जाएँगे, क्योंकि व्यवस्था में कोई परिवर्तन नहीं होगा। तकरीबन 80 साल बाद रामलीला मैदान से अन्ना हजारे को भी यही बात कहनी पड़ी कि गोरे अंग्रेज चले गए, पर काले अंग्रेजों का शासन है। इन सबके बावजूद भगत सिंह के मुकाबले गांधी को उस समय के मीडिया ने और उस समय की व्यवस्था ने जबरदस्त 'स्पेस' दिया। वह तो टी.आर.पी. का जमाना भी नहीं था, क्योंकि टेलीविजन का अभी आविष्कार ही नहीं हुआ था। तो भी शहीद सुखदेव ने चंद्रशेखर आजाद को लिखे एक पत्र में इस बात पर दुःख प्रकट किया है कि मीडिया हमारे बयानों को नहीं छापता है और हम अपनी आवाज जनता तक नहीं पहुँचा पाते हैं। जब भी व्यवस्था में आमूल परिवर्तन करनेवाली ताकतें सिर उठाती हैं तो उन्हें वहीं खामोश करने की कोशिश होती है। अगर आप अंदर के रोग से मरणासन्न व्यवस्था को बचाने की कोई भी कोशिश करते हुए दिखाई देते हैं तो यह व्यवस्था आपके लिए हर सुविधा मुहैया करने को तत्पर मिलेगी।

अन्ना हजारे ने 28 अगस्त, 2011 को दिन में 10.30 बजे अनशन तोड़ने के बाद रामलीला मैदान से जो भाषण दिया उससे आनेवाले दिनों के उनके एजेंडे का पता चलता है। एक कुशल राजनीतिज्ञ की तरह उन्होंने उन सारे मुद्दों को भविष्य में उठाने की बात कही है, जो सतही तौर पर व्यवस्था परिवर्तन की लड़ाई का आभास देंगे; लेकिन बुनियादी तौर पर वे लड़ाइयाँ शासन-प्रणाली को और चुस्त-दुरुस्त करके इस व्यवस्था को पहले के मुकाबले कहीं ज्यादा टिकाऊ, दमनकारी और मजबूत बना सकेंगी। अन्ना का आंदोलन 28 अगस्त को समाप्त नहीं हुआ बल्कि उस दिन से ही इसकी शुरुआत हुई। रामलीला मैदान से गुड़गाँव के अस्पताल जाते समय उनकी एंबुलेंस के आगे सुरक्षा में लगी पुलिस और पीछे पल-पल की रिपोर्टिंग के लिए बेताब कैमरों से दीवार पर लिखी इबारत को पढ़ा जा सकता है। व्यवस्था के शस्त्रागार से यह एक नया हथियार सामने आया है, जो व्यवस्था बदलने की लड़ाई में लगे लोगों के लिए आनेवाले दिनों में एक बहुत बड़ी चुनौती खड़ी करेगा।

☐

संदर्भ
~ ❖ ~

वेबसाइट्स

http:/www.annahazare.org/

http:/indiaagainstcorruption.org

अन्य स्रोत

1. 'पद्मभूषण पुरस्कार विजेता'। सूचना पुन: प्राप्ति दिनांक 10 अप्रैल, 2011।

2. * 'भारतीय कार्यकर्ता अन्ना हजारे की भूख हड़ताल समाप्त।' बी.बी.सी. न्यूज, 9 अप्रैल,2011। सूचना पुन: प्राप्ति दिनांक 9 अप्रैल, 2011।

3. * 'लोकपाल बिल ड्राफ्ट करने संबंधी समिति के बारे में सरकार द्वारा अधिसूचना जारी किया जाना'; नई दिल्ली : द हिंदू, 9 अप्रैल, 2011। सूचना पुन: प्राप्ति दिनांक 9 अप्रैल, 2011।

4. * 'अन्ना हजारे : वह इनसान जिसे अनदेखा नहीं किया जा सकता।' द टाइम्स ऑफ इंडिया, 7 अप्रैल, 2011।

5. घोष अविजीत (17 अप्रैल, 2011) 'खेमकरण युद्धक्षेत्र में हुआ मेरा पुनर्जन्म'; द टाइम्स ऑफ इंडिया। सामग्री खोज निकालने की तारीख : 17 अप्रैल, 2011।

6. * 'चालक से प्रेरक बल तक'; द हिंदू, 8 अप्रैल, 2011। सूचना पुन: प्राप्ति दिनांक 11 अप्रैल, 2011।

7. अंग्रेजी बुक मैटर

8. अंग्रेजी बुक मैटर

9. रघुवंशी, सी.एस. (1995) * 'सिंचाई प्रणाली का प्रबंध और संगठन', नई

---

* प्रकाशित सूचना-शीर्षकों का हिंदी अनुवाद।

दिल्ली : अटलांटिक, पृष्ठ 44, आई.एस.बी.एस. 81-7156-560-3

10. springs of Life : India's water resources. अकादमिक फाउंडेशन, 2006, पृष्ठ 392, ISBN : 8171-88489X, 9788171884896 खोज दिनांक 8 अप्रैल, 2011

11. देशमुख, विनीता (7 अप्रैल, 2011) * 'अन्ना हजारे, हमारी एक बड़ी आशा, और क्यों वही यह कर सकते हैं?'। मनीलाइफ। खोज दिनांक 8 अप्रैल, 2011।

12. शर्मा, रीता (20 जनवरी, 2001)। * 'अन्ना हजारे : एक निर्भीक धर्मयोद्धा'। द ट्रिब्यून। खोज निकालने की तारीख 9 अप्रैल, 2011।

13. शर्मा, कल्पना (8 अप्रैल, 2011) * 'अन्ना हजारे : भारत का अग्रेसर सामाजिक कार्यकर्ता'। मुंबई : बी.बी.सी.। खोज दिनांक 9 अप्रैल, 2011।

14. * 'गुटखा पर रोक लगाने के सरकारी कदम की हजारे द्वारा प्रशंसा'। मुंबई : इंडियन एक्सप्रेस, 9 जुलाई, 1997। खोज निकालने की तारीख 7 अप्रैल, 2011।

15. * 'सामाजिक कार्यकर्ता ने छेड़ा भारतीय भ्रष्टाचार के विरुद्ध संघर्ष'। रालेगण सिद्धि : साउथ ईस्ट मिसूरियन। 1 दिसंबर, 1996। 7 अप्रैल, 2011 को खोजी गई सूचना।

16. * 'रालेगण सिद्धि में प्रशिक्षण केंद्र खोलने की सरकारी योजना'। पुणे : टाइम्स ऑफ इंडिया, 3 जुलाई, 2010। सामग्री की खोज दिनांक 8 अप्रैल, 2011।

17. देशमुख, विनीता (12 सितंबर, 2004)। 'द विलेज रोड शो'। द इंडियन एक्सप्रेस। सामग्री की खोज की दिनांक 8 अप्रैल, 2011।

18. 'अन्ना हजारे विजिट्स के आई.एस.एस.,' भुवनेश्वर : द हिंदू, 18 अगस्त, 2010। सामग्री खोज निकालने की तारीख 8 अप्रैल, 2011।

19. मरोथिया, दिनेश के. (2002)। Institutionalizing Common Pool Resources, नई दिल्ली : कॉन्सेप्ट पब्लिशिंग, पीपी. 122-8 ISBN 81-7022-981-2

20. 'द राइज एंड राइज ऑफ अन्ना हजारे', इंडिया टुडे, 6 अप्रैल, 2011 सामग्री पुनः प्राप्ति दिनांक 9 अप्रैल, 2011।

21. रमन, अनुराधा, स्मृति कोप्पिकर (18 अप्रैल, 2011)। 'विल्डिंग द ब्रूम'। आउटलुक।

22. * 'अन्ना हजारे ने घोलप पर साधा निशाना', इंडियन एक्सप्रेस, 14 अप्रैल,

* अंग्रेजी शीर्षक का हिंदी रूपांतर।

1998। सामग्री खोज निकालने की तिथि : 8 अप्रैल, 2011।

23. * 'घोलप मामले में बॉण्ड भरने पर हजारे की रिहाई'। इंडियन एक्सप्रेस, 14 अप्रैल, 1998। सामग्री खोजने की तिथि : 8 अप्रैल, 2011।

24. * 'अन्ना हजारे को तीन माह के कारावास का दंड'। इंडियन एक्सप्रेस, 10 सितंबर, 1998। सामग्री की खोज, 8 अप्रैल, 2011।

25. 'अन्ना हजारे की गिरफ्तारी'। Anna Hazare's Arrest.

26. 'हजारे को सजा'। Anna Hazare Sentenced.

27. *'अन्ना की घोलप को हटाने की माँग'। इंडियन एक्सप्रेस, 12 दिसंबर, 1998 (पुनः प्राप्ति : 8 अप्रैल, 2011)

28. मर्यक्वार, प्रफुल्ल (28 अप्रैल, 1999)। 'Snap Polls Woke Rane up to sack cahlap,' इंडियन एक्सप्रेस। पुनः प्राप्ति : 10 अप्रैल, 2011।

29. 'Pawar–Hazare rivalryrevived.' द स्टेट्समैन, 6 अप्रैल, 2011। पुनः प्राप्ति–8 अप्रैल, 2011।

30. * 'अन्ना हजारे ने अनशन समाप्त किया'। Rediff.com 17 अगस्त, 2003। सूचना–सामग्री की पुनः प्राप्ति 8 अप्रैल, 2011।

31. बवटैम, लाइला (12 मार्च, 2005)। * 'एक जाँच रिपोर्ट और राजनीति,' फ्रंटलाइन, वॉल्यूम 22, अंक 07। पुनः प्राप्ति दिनांक 8 अप्रैल, 2011।

32. * 'सावंत आयोग ने रिपोर्ट पेश की'। Rediff.com 24 फरवरी, 2005। पुनः प्राप्ति दिनांक 8 अप्रैल, 2011।

33. दाम्ले, मंजिरी माधव (29 जून, 2004)। * 'हजारे का जन्मदिन मनाने के लिए ट्रस्ट निधि का इस्तेमाल : जैन'। द टाइम्स ऑफ इंडिया। पुनः प्राप्ति दिनांक : 17 अप्रैल, 2011।

34. *'दूसरे एन.सी.पी. मंत्री नवाब मलिक भी बाहर'। द टाइम्स ऑफ इंडिया, 11 मार्च, 2005। सामग्री पुनः प्राप्त करने की तारीख 8 अप्रैल, 2011।

35. फ्लोरिनी, ऐन। The Right to Know : Transparency for an Open World, New York : कोलंबिया यूनिवर्सिटी प्रेस, पेज 24, ISBN : 9780-231-14158-1

36. रॉबर्ट्स अलस्डेर। Blacked out : Government Secrecy in the Information Age. कैंब्रिज यूनिवर्सिटी प्रेस। पृष्ठ 3 ISBN : 9780521858700

37. *'आरटीआई संशोधन पर अन्ना हजारे का अनशन समाप्त'। द टाइम्स ऑफ इंडिया, 19 अगस्त, 2006। पुनः प्राप्ति दिनांक 11 अप्रैल, 2011।

---

* अंग्रेजी शीर्षक का हिंदी रूपांतर।

38. देशपांडे, विनय (29 मार्च, 2011)। * 'अन्ना हजारे ने लोकपाल बिल में निकाले दोष'। द हिंदू। पुनः प्राप्ति दिनांक 5 अप्रैल, 2011।
39. * 'अन्ना हजारे का मजबूत लोकपाल बिल के लिए आमरण अनशन आरंभ करने का निश्चय'। द हिंदुस्तान टाइम्स, 5 अप्रैल, 2011। सूचना पुनः प्राप्ति : 5 अप्रैल, 2011।
40. * 'भारतीय सामाजिक कार्यकर्ता अन्ना हजारे के भ्रष्टाचार-विरोधी अनशन से भड़का आक्रोश'। बी.बी.सी. 7 अप्रैल, 2011। सूचना पुनः प्राप्ति 7 अप्रैल, 2011।
41. * 'अन्ना हजारे की भ्रष्टाचार-विरोधी लड़ाई में हजारों लोग शामिल'। 6 अप्रैल, 2011। पुनः प्राप्ति दिनांक 6 अप्रैल, 2011।
42. * 'हजारे के अनशन में उमा भारती, चौटाला का तिरस्कार'। 6 अप्रैल, 2011। पुनः प्राप्ति 9 अप्रैल, 2011
43. * 'हजारे के आंदोलन के लिए समर्थन का सैलाब'।
44. * 'बॉलीवुड का अन्ना को समर्थन'। 6 अप्रैल, 2011।
45. * 'अन्ना हजारे के लिए बढ़ते समर्थन को देखकर शरद पवार ने 'करप्शन पैनल' छोड़ा'।
46. 'Anna Hazare Fight Against Corruption Has taken A Social Media Turn.' 'अन्ना हजारे की भ्रष्टाचार के विरुद्ध लड़ाई के समर्थन में उमड़ा जनसंचार माध्यम'। Digitalanalog.in (7 अप्रैल, 2011)। पुनः प्राप्ति 7 अप्रैल, 2011।
47. * 'उत्तर-पूर्व का हजारे को समर्थन'। गुवाहाटी/शिलांग/आइजोल : टाइम्स ऑफ इंडिया 9 अप्रैल, 2011। पुनः प्राप्ति 9 अप्रैल, 2011।
48. * 'लोकपाल बिल का प्रारूप बनाने के लिए सरकार द्वारा एक संयुक्त प्रारूपण समिति का गठन किए जाने हेतु अधिसूचना जारी'। नई दिल्ली : प्रेस सूचना ब्यूरो, भारत सरकार, 18 अप्रैल, 2011। पृष्ठ 1. सूचना पुनः प्राप्ति 9 अप्रैल, 2011।
49. * 'लोकपाल बिल : गजट अधिसूचना का मूल पाठ'। नई दिल्ली : दि हिंदू, 9 अप्रैल, 2011। पुनः प्राप्ति 9 अप्रैल, 2011
50. लक्ष्मी, रमा (९ अप्रैल, 2011) 'India agrees to protesters' demand on draft panel.' The Washington Post (Bangalore). Retrived, 9 April, 2011.

---

* अंग्रेजी शीर्षक का हिंदी रूपांतर।

51. * 'अन्ना हजारे ने तोड़ा अनशन, कहा कि भ्रष्टाचार के विरुद्ध संघर्ष जारी रहेगा।' नई दिल्ली, इंडिया टुडे, 9 अप्रैल, 2011। पुन: प्राप्ति 9 अप्रैल, 2011।

52. * 'फिर जीता भारत, अन्ना हजारे का अनशन समाप्त।' नई दिल्ली : टाइम्स ऑफ इंडिया, 9 अप्रैल, 2011। पुन: प्राप्ति दिनांक 9 अप्रैल, 2011।

53. * 'अन्ना हजारे को रवींद्रनाथ टैगोर शांति पुरस्कार'। नई दिल्ली : डेली इंडिया, 8 अप्रैल, 2011। पुन: प्राप्ति दिनांक 12 अप्रैल, 2011।

54. पंढारी पांधे, श्याम (16 अप्रैल, 2008)। * 'धरती और मानव विवेक का रक्षक—अन्ना हजारे'। पुणे : RxPG news. पुन: प्राप्ति दिनांक 9 अप्रैल, 2011।

☐☐☐

---

* अंग्रेजी शीर्षक का हिंदी रूपांतर।